새의
시선

정찬 소설집
새의 시선

펴낸날 2018년 5월 11일

지은이 정찬
펴낸이 이광호
편집 최지인 이민희 조은혜 박선우
펴낸곳 ㈜문학과지성사
등록번호 제1993-000098호
주소 04034 서울 마포구 잔다리로7길 18 (서교동 377-20)
전화 02)338-7224
팩스 02)323-4180 (편집) 02)338-7221 (영업)
전자우편 moonji@moonji.com
홈페이지 www.moonji.com

ⓒ 정찬, 2018. Printed in Seoul, Korea

ISBN 978-89-320-3097-5 03810

새의
시선

정 찬 소설집 　　　　　　　　　문학과지성사

차례

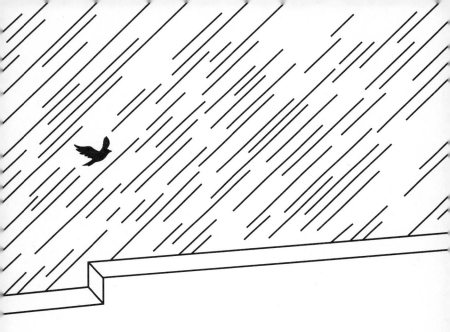

양의 냄새

1

그를 만난 것은 라스베이거스의 한 카지노에 머문 지 한 달이 되어가고 있을 때였다. 2008년 1월 20일 저녁이었다. 룰렛 테이블을 지나가다 우연히 그를 보았다. 테가 굵고 검은 안경을 쓴 그는 룰렛에 열중하고 있었다. 나이를 헤아리기가 쉽지 않았다. 청년처럼 보이기도 했고, 노인처럼 보이기도 했다. 내가 그에게 관심을 가진 것은 얼굴 표정 때문이었다.

도박은 사람의 본성을 대단히 효율적으로 자극하는 정교한 놀이로, 그것이 불러일으키는 쾌락은 시간과 공간에 대한 지각을 해체시킬 정도로 강렬하다. 하지만 그의 얼굴에서는 쾌락이 보이지 않았다. 쾌락 대신 슬픔이 얼굴에 비쳤다. 물론 다른 표정들도 종종 나타나곤 했지만 슬픔을 밀어내지는 못했다. 그런 표정들은 슬픔의 투명한 표면으로 미끄러지면서 금방 사라졌다.

내가 그를 관찰하기 시작했을 때 그는 자신이 갖고 있는 칩 열세 개 모두를 홀수에 베팅하고 있었다. 공은 홀수에 떨어졌다. 칩이 스물여섯 개로 불어났다. 그는 칩 한 개만 남기고 나머지를 또 홀수에 걸었다. 휠이 돌았다. 공이 떨어진 곳은 홀수 자리였다. 그의 칩이 쉰 개로 불어났다. 그는 이길 확률이 47.37퍼센트인 안전한 게임을 하고 있었다. 다음에는 짝수에 걸 것이라는 나의 예상과 달리 그는 칩 한 개를 제외한 모두를 홀수에 걸었다. 홀수가 그의 마음을 계속 끌어당기는 모양이었다. 공은 홀수에 떨어졌다. 칩이 아흔여덟 개로 불어났는데도 그는 표정 변화가 거의 없었다. 여전히 슬픔에 싸여 있어, 슬픈 표정으로 조각된 가면을 보는 것 같았다. 그런 얼굴은 처음이었다. 그럼에도 어디선가 본 듯한 느낌이 자꾸만 들어 기분이 이상했다.

그는 칩 두 개를 손에 쥐고 만지작거리기 시작했다. 다음 베팅을 생각하는 것 같았다. 그가 계속 홀수를 선택할지, 짝수로 바꿀지, 아니면 아예 배당률이 높은 곳으로 옮길지 궁금했다. 조금 후 그가 베팅했을 때 나는 깜짝 놀랐다. 칩 아흔여섯 개를 숫자 8에 모두 걸었기 때문이다. 이전과는 다른, 가장 과격한 베팅이었다. 맞으면 베팅 금액의 35배를 받는다. 3,430개의 칩이 그에게 들어오는 것이다. 배당률이 높은 만큼 위험도 높다. 그가 이길 확률은 2.63퍼센트였다.

그는 손에 든 칩 두 개를 꼭 쥐고 있었다. 문득 그가 쥐고 있는 두 개의 칩이 그에게 어떤 의미가 있다는 느낌이 들었다. 휠이 돌기 시작했다. 나는 공이 8에 떨어지기를 바랐다. 그가 이기면 표정이 어떻게 변할지 무척 궁금했다. 공은 그의 선택을 빗나갔다. 공이 멈춘 곳은 17이었다. 딜러는 그가 건 칩을 모두 쓸어 갔다. 손에 든 칩 두 개를 가만히 들여다보던 그의 눈이 스르르 감겼다. 그의 의식이 꿈의 상태로 빠져들고 있음이 얼굴에 나타났다. 내가 그것을 아는 것은 표정 분석 연구자이기 때문이다.

나는 표정 분석 연구의 선구자인 폴 에크만의 문하생이다. 나의 스승은 얼굴의 움직임을 체계적으로 묘사한 얼굴 지도를 처음으로 만든 분으로, 이 분야에 관한 수많은 책을 저술했다. 캘리포니아 의과대학 심리학 교수인 그는 FBI, CIA 등 심리 및 표정과 관련하여 도움이 필요한 곳에서 자문가로 활동하고 있다. 내가 카지노에 들어간 것은 표정 연구의 일환이었다.

사람은 동물 가운데 표정을 가장 풍부하게 짓는 존재다. 한 사람이 지을 수 있는 표정은 만 개가 넘는다. 하지만 문명의 발전으로 표정에 제한이 가해지면서 지속적으로 위축되어가다가 어느 시점부터 사람의 얼굴이 가면으로 변화하기 시작했다. 가면의 얼굴은 마음을 숨길 뿐 아니라 필요에 따라 마음의 상태와 다른 표정을 짓는다. 그런 가면이 하나만 있는 게 아니다. 가면 뒤에 다른 가면이 있으며, 그 가면 뒤에 또 다른 가면이 있다. 경쟁이 치열한 사회일수록 더 많은 가면을 요구한다.

카지노는 가면을 벗기는 공간이다. 일상 세계가 아니기 때문이다. 카지노는 놀이의 세계이다. 놀이 세계에서 가면은 거추장스러운 장식물일 뿐이다. 사람의 민얼굴을 볼 수 있는 희귀한 공간이 카지노인 것이다. 카지노가 얼굴 연구자에게 대단히 의미 있는 공간인 까닭은 여기에 있다. 카지노는 '얼굴 연구학회'의 요청을 받아들여 내게 객실과 함께 CCTV실 출입증을 제공했다.

그가 눈을 떴을 때 나는 그 앞에 서 있었다. 눈빛이 몽롱했다. 꿈의 상태에 있으니 몽롱할 수밖에 없었다.

"선생은 8이라는 숫자를 무척 좋아하시는 것 같군요."

나는 미소를 지으며 물었다.

"8월은 저에게 추억의 달이지요."

"아, 그렇군요."

"저를 아시는지……"

그의 얼굴에 나를 경계하는 표정이 얼핏 비쳤다.

"처음 뵙습니다만 선생의 표정이 제 마음을 끌었습니다."

"제 얼굴이 이상하게 보였나요?"

그는 나를 유심히 보며 물었다. 눈빛은 여전히 몽롱했다.

"표정이 무척 슬퍼 보이더군요. 슬픔에 잠긴 얼굴로 게임을 하는 분은 지금까지 한 번도 보지 못했습니다."

"게임하러 오셨나요?"

"전 이런 사람입니다."

나는 그에게 명함을 내밀었다.

"흠, 얼굴을 연구하는 심리학자시군요."

"한 가지 여쭤봐도 되겠습니까?"

그는 말없이 고개를 끄덕였다.

"방금 눈을 감고 무슨 생각을 하셨는지요?"

"전 지금……"

그의 입가에 미소가 어렸다.

"맥주를 마시러 바에 가려는데 같이 가시겠습니까?"

"물론입니다."

나는 유쾌하게 말했다.

2

그는 병째로 맥주를 마셨다. 맛을 음미하는 동안 눈썹을 자주 치켜들었는데, 비스듬히 치켜든 그의 눈썹에서 슬픔이 스며 나오고 있었다.

"아까 제가 눈을 감고 무슨 생각을 했는지 물으셨지요?"

내가 그렇다고 말하자 그는 주머니에서 칩 두 개를 꺼냈다.

"제가 이 칩을 쥐고 있었을 때……"

그는 손안에 놓인 칩을 가만히 내려다보았다.

"칩이 작은 물고기처럼 따뜻하더군요. 그러자 물고기의 파닥거리는 감촉이 느껴지면서 물고기의 숨소리가 귓속으로 흘러 들어왔습니다. 전 이 물고기들을 룰렛 테이블에 놓고 싶지 않았습니다. 제가 놓고 싶은 곳은 브로크백 마운틴을 적시는 강물입니다. 어느 해 여름 그와 함께 지냈던."

"그라면……"

"카우보이 청년 잭."

그는 나직이 말했다.

"그때가 8월이었군요."

"8월 13일에는 첫눈이 내려 제법 많이 쌓였습니다. 금방 녹아버렸지만."

"카우보이 청년 잭과의 추억을 잊지 못하시는군요."

"잭에게 여러 냄새가 났어요. 담배 냄새, 사향 냄새 비슷한 땀냄새, 풀냄새 같은 희미한 단내…… 그 냄새들 사이로 산의 한기가 떠돌았지요."

"그 카우보이가 어디론가 떠났군요."

"멀리 떠났지요. 아주 멀리……"

"그가 죽었나요?"

"네."

"어떻게 죽었지요?"

"트럭 타이어에 바람 넣다가 타이어가 터져 죽었다고 그의 아내에게 들었습니다."

"선생은 그렇게 생각하지 않는 듯하군요."

그는 대답하지 않았다.

"카우보이 청년 잭이 유언을 남겼지요?"

"자신의 유골을 브로크백 마운틴에 뿌려달라고 했다더군요."

"그래서 선생은 그의 부모가 사는 집을 찾아갔고요."

그는 고개를 끄덕였다.

"잭의 방에서 선생은 선생이 잃어버린 줄 알았던 셔츠를 발견하게 되지요."

그는 다시 고개를 끄덕였다. 그의 눈에 눈물이 어리고 있었다.

"선생의 이름은 에니스군요."

"에니스 델 마."

그는 비밀스러운 것을 밝히는 것처럼 속삭이듯 말했다.

"하지만 에니스는 실재하는 인물이 아니지 않습니까?"

나의 말에 그는 천천히 고개를 가로저었다.

"저에게는 실재하는 인물입니다."

"상상의 세계에서는 그렇겠지요."

"우린 지금 상상 세계에 들어와 있습니다. 주위를 둘러보세요. 거울이 보이지 않습니다. 우리가 거울 속으로 들어와 있기 때문입니다. 거울 속 세계에서는 상상이 곧 현실입니다.

상상 극장이니까요. 제 얼굴을 보세요."

나는 흠칫 놀랐다. 그의 얼굴이 바뀌었다.

"난 준비되어 있어. 이야기를 들을 준비가. 절대 지치지 않고, 슬퍼하지도 않고, 죄책감 없이. 죄책감을 받아들인 자 한 숨짓고, 외로운 오르간 연주자 흐느끼네. 실버 색소폰은 당신을 거부하라고 하고, 깨진 종과 닳아빠진 나팔은 내 얼굴을 경멸하네. 하지만 그게 아니야. 당신을 잃으려 태어난 게 아니야. 당신을 갖고 싶어. 사무치게 갖고 싶어. 그대여 갖고 싶어. 내 모든 아버지는 다 사라졌네. 진정한 사랑, 그들에게 없었네. 난 가려네. 어디로 가려는가? 아무도 나를 모르는 곳으로. 아, 아카폴코로 가려네. 달려가려네. 사랑하는 사람에게로."

노래하듯 흘러나온 그의 목소리는 이전의 목소리와 전혀 달랐다. 바뀐 얼굴에 어울리는 목소리였다.

"옛날 옛적에 캔디와 댄이 살았습니다. 댄은 캔디를 위해 뭐든지 했죠. 어느 날 밤 침대가 불탔습니다. 우린 햇빛과 초콜릿으로 살았어요."

놀랍게도 여자의 목소리가 흘러나왔다. 그의 얼굴도 여자의 얼굴로 바뀌었다.

"우린 기쁨의 진흙에 뒹굴었어요. 네가 내 안에…… 밤이 오면…… 다시는 잘 수가 없어. 물속에 괴물이…… 어두운 자연이…… 고양이와…… 닭과 강낭콩…… 침대 옆의 꽃……

16

아기는 아침에 죽었어요. 그 아이 심장은 북처럼 뛰었어요."

그의 눈에서 눈물이 뚝뚝 떨어졌다. 아이를 잃은 여자의 눈물이었다.

"감탄하지 않을 수 없는 변신이군요."

나는 그가 본래의 표정으로 돌아오는 것을 보면서 말했다.

"선생의 첫 대사는 처음 듣는 게 아니에요. 제가 밥 딜런을 좋아해 「아임 낫 데어」를 보았거든요. 밥 딜런의 전기 영화가 그런 형식으로 만들어질 수 있다는 사실이 정말 놀라웠습니다. 그런데 두번째 것은 어떤 영화의 대사인지 모르겠어요."

"「캔디」라는 영화예요. 댄과 캔디라는 젊은 남녀가 사랑의 회오리 속에서 천국과 지옥을 경험하는 영화이지요."

그는 희미하게 웃으며 말했다.

3

그가 히스 레저임을 안 것은 그의 입에서 카우보이 청년 잭의 이야기가 흘러나오고 있을 때였다. 그가 에니스 역으로 출연한 영화 「브로크백 마운틴」에서 잭은 에니스의 상대역이었다. 게이 카우보이 무비로 알려진 「브로크백 마운틴」을 본 것은 동료 심리학자가 히스 레저의 표정 연기가 너무 탁월해 두 남자의 사랑을 받아들이지 않을 수 없다고 하며 권했기 때문이다.

"선생은 히스 레저군요."

"히스 레저이기도 하지요."

그는 희미하게 웃으며 말했다.

"믿어지지가 않아요.「브로크백 마운틴」을 보면서 선생의 연기에 감동했음에도 못 알아봤으니……"

"당연하지요. 선생이 본 사람은 에니스였으니."

"선생의 얼굴이 슬펐던 것은 에니스였기 때문이군요."

그는 고개를 끄덕였다.

"카지노에서 선생을 알아본 사람이 없었나요?"

"없었습니다."

"믿어지지 않는군요."

"배우는 뛰어난 신체 조건을 지닌 배우와 그렇지 않은 배우로 나눌 수 있습니다. 앞의 배우는 변신이 무척 어렵습니다. 대중의 관심이 그의 신체에 집중되어 있기 때문이죠. 인물의 연기가 배우의 신체 속에서 이루어지는 것을 보고 싶어 하는 것입니다. 그런 배우는 어디에 있든 눈에 띕니다. 조지 클루니가 여기에 왔다면 저처럼 자유롭게 돌아다니는 것은 불가능하지요. 하지만 전 보다시피 그런 배우가 아닙니다. 얼굴이 평범합니다. 어디서나 쉽게 볼 수 있는 얼굴이지요. 게다가 카지노에 모여든 사람들은 타인에게 관심을 갖지 않습니다. 도박에 홀려 있으니까요. 몇 시간 전에 어떤 사람이 저를 주시하는 것 같아 들켰구나 생각했는데 그의 눈동자가 텅 비어 있더군요. 두꺼운 검은 테 안경이면 제 얼굴을 숨기기에 충분하지요."

그의 말이 맞았다. 도박에 몰두하면 일상의 감각이 사라진다. 눈으로는 보지만 제대로 보지 못하고, 무슨 일이 일어나고 있는지는 알지만 제대로 파악하지 못한다.

"배우는 끔찍한 존재예요. 정체성이 결핍되어 있으니까요. 전 피터팬이었고, 켈트족 전사였고, 스트립 클럽 호객꾼이었고, 14세기 유럽의 기사였고, 뉴욕의 젊은 신부였고, 사기꾼 퇴마사였고, 여인들을 사랑한 카사노바였고, 마약에 중독된 시인이었고, 밥 딜런의 그림자 영혼이었고, 브로크백 마운틴을 그리워하는 에니스였어요. 그리고……"

그는 뭐라고 말할 듯하다가 머뭇거렸다. 얼굴에 불안의 기색이 돌았다.

"제가 왜 라스베이거스에 왔는지 아세요?"

그는 말의 방향을 바꾸었다. 얼굴에는 침착해지려고 애쓰는 표정이 역력했다.

"글쎄요."

"라스베이거스는 사막으로 둘러싸여 있어요. 게다가 여긴 바깥 세계와 연결하는 창도 없고 거울도 없어요. 숨기 좋은 곳이죠."

카지노는 외부와 완전히 차단된 비현실적인 공간이다. 안과 밖, 밤과 낮을 구분하는 경계선이 없다. 일상을 잊게 하는 구조이다. 일상을 잊는다는 것은 일상의 자아를 잊는다는 것을 뜻한다. 그 속에서 도박자는 최면의 상태, 몽유의 상태, 다중인격의 상태로 빠져든다.

"제가 에니스로 변신한 것도……"

그는 허공을 보며 말했다.

"에니스에게 숨을 데가 많기 때문이에요."

"무슨 뜻인지 모르겠군요."

"에니스 안에는 높고 깊은 산이 있잖아요."

"아, 그러네요."

"그 산에는 맑은 강과 꽃들로 덮인 들판이 있어요. 줄무늬 조약돌과 병풍처럼 둘러쳐진 소나무도 있고요. 라벤더 색 하늘과 희미하게 빛나는 서리도 있어요. 아, 물론 은회색 양 떼도 있지요. 노란 등유 램프가 있는 것처럼."

그는 꿈꾸는 듯한 표정으로 말했다.

"왜 숨으려 하세요?"

"무서우니까요."

"무엇이 무서워요?"

"미셸의 판단이 옳았어요."

"미셸이라면……"

"미셸 윌리엄스. 에니스의 아내 알마 역을 맡았죠. 아, 잠깐만요."

그는 벌떡 일어나더니 카운터로 향했다. 잠시 후 그가 갖고 온 것은 위스키였다.

"드실래요?"

"전 맥주면 충분합니다."

그는 고개를 끄덕이더니 위스키를 잔에 따랐다.

"전 미셸과 금방 사랑에 빠졌어요. 2005년에는 약혼을 했죠. 그해 10월 마틸다가 태어났구요. 아, 마틸다……"

그는 눈을 감았다 잠시 후 떴다. 어두웠던 그의 얼굴이 환하게 빛났다.

"아이는 신비한 존재예요. 아이의 눈을 들여다보면 제가 잃어버린 기억들이 그 안에 담겨 있는 것 같아요. 아이의 맑은 눈 속에 제가 있는 거예요. 저보다 훨씬 본질적인 저의 존재죠. 전 뭐라고 표현할 수 없는 자유를 느껴요. 그런 자유 속에서라면 언제라도 기쁘게 죽을 수 있을 것 같아요. 아니에요. 전 죽을 수 없어요. 제가 마틸다 곁에 있어야 해요. 평생 동안 마틸다 곁에서……"

환한 표정은 어느덧 사라지고 잿빛 얼굴에 괴로움이 드리웠다.

"미셸의 생각이 옳았다고 말씀하셨는데……"

내가 조심스럽게 그의 말을 환기시키자 그는 멍한 표정으로 나를 보았다.

"제가 그랬나요?"

"네."

"음, 그랬군요."

그는 먼 곳을 보는 표정으로 나를 보며 혼잣말하듯 중얼거렸다.

"「배트맨」이라는 영화를 아시죠?"

"알지요."

"조커라는 인물도 아시겠네요."

"물론입니다. 그 역을 맡은 잭 니컬슨이 저희 연구학회로 찾아왔습니다. 우린 그에게 악의 심리와 표정에 관해 조언을 해주었지요."

"마틸다가 두 살 때였죠. 「배트맨 비긴즈」를 만든 크리스토퍼 놀런 감독이 저에게 신작 시나리오를 보내면서 조커 역을 맡아달라고 하더군요. 「배트맨 비긴즈」의 속편인 「다크 나이트」였습니다. 당시 전 촬영이 끝난 지 1년이 넘었는데도 에니스에게서 헤어나지 못하고 있었습니다. 힘들 줄은 알았지만 그렇게까지 오래갈 줄은 몰랐습니다. 그런 상태를 잘 알고 있는 미셸이 에니스와 조커의 혼이 섞여버리는데 연기를 제대로 할 수 있겠느냐고 말했을 때 전 그녀의 말에 수긍했습니다. 하지만 미셸이 정말 두려워한 것은 조커라는 캐릭터였습니다. 악의 상징인 조커의 혼이 저를 어떻게 변하게 할지, 두려웠던 것입니다. 그녀가 마틸다를 위해서라도 조커 역을 포기해달라고 눈물을 흘리며 애원했음에도 대답을 회피한 것은 두 가지 이유 때문이었습니다."

그의 목소리가 잠겼다.

"조커 역을 하게 되면 에니스에게서 빠져나오는 데 도움이 될 것 같았습니다. 그때 전 에니스에게 너무 오랫동안 사로잡혀 기진맥진해 있었거든요. 미셸이 알마로 느껴질 때는 너무 힘들었습니다. 알마는 잭과의 사랑을 방해하고 에니스를 훼손시키는 존재입니다. 에니스의 마음 밑바닥에는 그런 알마에 대한 원망과 분노의 감정이 깔려 있지요."

그는 두 손으로 얼굴을 쓸어내렸다. 갈색 눈이 흐려졌다.

"또 하나의 이유는 조커라는 희귀한 인물에 대한 강렬한 호기심이었습니다. 그를 느껴보고 싶었습니다. 제가 조커가 되었을 때 저에게 어떤 변화가 일어날지 무척 궁금했습니다. 두려움은 물론 있었습니다. 미셸이 느낀 두려움을 저도 똑같이 느꼈습니다. 하지만 두려움보다 호기심이 더 컸습니다. 배역을 수락한 후 조커에 대한 도움말을 들으러 잭 니컬슨을 찾아갔습니다. 그는 제 눈을 응시하며 말했습니다. 조커를 조심하라고, 조커는 배우를 잡아먹는 캐릭터라고, 조커를 연기하는 동안 자살 충동을 여러 번 느꼈다고, 지금이라도 늦지 않았으니 배역을 거절하라고. 저는 말했습니다. 제가 조커를 선택한 것이 아니라 조커가 저를 선택했다고. 그러자 그는 눈을 가느스름하게 뜨며 어쩌면 자넨 내가 생각하는 것보다 훨씬 더 훌륭한 사냥꾼일지도 몰라, 하면서 제 어깨를 툭툭 치더군요."

그는 손으로 자신의 어깨를 툭툭 치며 말했다. 손의 동작은 그의 것이 아니었다. 잭 니컬슨의 동작처럼 느껴졌다.

"놀런 감독은 저에게 잭 니컬슨의 조커가 강렬히 보여줬던 광대 이미지보다 감정이 없는 정신분열증 살인광의 모습을 보여주기를 원했습니다. 연기는 홀로 하는 작업입니다. 홀로 낯선 존재와 대면해야 하고, 홀로 낯선 인물의 마음속으로 들어가야 합니다. 저는 집을 떠나 호텔로 갔습니다. 저를 스스로 가둔 것이죠. 조커와 홀로 대면해야 하니까요. 미셸은 말없이 저를 배웅했습니다. 애써 짓는 그녀의 미소에 슬픔과 원망이 어려 있었습니다. 호텔 방에 틀어박혀 조커라는 허구의 인물에 집중했습니다. 저는 캐릭터의 감정과 가장 흡사한 감정을 저에게서 찾아내어 그것을 매개로 캐릭터에게 다가갑니다. 조커가 저에게 유독 힘들었던 것은 극단적인 악의 감정을 저에게서 끌어내야 했기 때문입니다. 호텔 방에서 저는 열세 갈래로 균열된 거울만 보았습니다. 다른 거울은 절대 보지 않았습니다. 거울 속의 제 얼굴은 열세 갈래로 균열되어 있었습니다. 열세 갈래로 찢긴 채 허공을 떠다니는 얼굴과 함께 열세 갈래로 찢긴 의식의 파편들이 허공에 떠다니는 모습을 집요하게 상상했습니다. 그 모습이 어느 날 꿈에 나타났습니다. 찢긴 얼굴은 물론 찢긴 의식도 또렷이 보였습니다.

칩을 쥐고 있는 그의 손이 움직이기 시작했다. 그가 아직도 칩에서 물고기의 감촉을 느끼고 있는지 궁금했다.

"어느 날 저는 모자를 깊숙이 눌러쓰고 처음으로 호텔을 나와 도시의 거리에 발을 디뎠습니다. 호텔 방에 틀어박힌 지 40일 만이었습니다. 해가 저물고 있어 거리는 박명에 싸여 있었습니다. 수많은 사람이 박명에 싸인 채 어디론가 걸어갔습니다. 저는 인파 속으로 들어갔습니다. 아무도 절 알아보지 못할 것이란 확신이 가슴을 채웠습니다. 열세 갈래로 균열된 얼굴이었으니까요. 제가 들어간 곳은 칼 가게였습니다. 다양한 칼들이 진열되어 있었습니다. 제가 산 것은 칼날 길이가 18센티미터인 사냥용 칼이었습니다. 가게를 나와 주택가로 향했습니다. 제가 무엇을 찾고 있는지 어렴풋이 알고 있었습니다. 저는 어느 집 앞에서 걸음을 멈추었습니다. 낮은 담 너머에는 줄에 묶인 개가 마당을 어슬렁거리고 있었습니다. 아이리시 세터였습니다. 집 안은 조용했습니다. 사람이 없다는 느낌이 들었습니다. 저를 주시하던 개가 꼬리를 살랑거리기 시작했습니다. 진한 벽돌색 빛깔의 털이 기름지고 탐스러웠습니다. 살며시 담을 넘었습니다. 개의 꼬리 움직임이 빨라졌습니다. 전 무릎을 꿇고 개와 눈을 맞추었습니다. 아이리시 세터의 검은 눈동자가 빛났습니다. 개집에 걸린 줄의 고리를 풀어 개와 함께 집을 나왔습니다. 줄을 잡아챌 필요가 없었습니다. 개가 좋다고 따라왔으니까요. 해가 진 후였습니다. 대기 속으로 엷은 어둠이 내려앉고 있었습니다. 제가 간 곳은 한적한 공원이었습니다. 날씨가 추운 탓인지 사람들이 보이지 않았습니다. 나무 아래에 있는 벤치에 앉았습니다. 하늘이 어두워지고 있었습니다. 개를 안아 무릎에 올렸습니다. 개의 몸은 따뜻했습니다. 명주실처럼 부드러운 개의 털을 쓰다듬었습니다. 먼 곳에서 휘파람 소리 같은 새의 울음소리가 들려왔습니다. 주머니에서 칼을 꺼냈습니다. 별이 보였습니다. 첫 별이었습니다."

그는 눈을 감았다 잠시 후 떴다. 손에 움직임이 없었다.

"저는 개를 꽉 껴안고 가슴과 가까운 목 부분에 칼을 깊숙이 찔러 넣었습니다. 칼은 살 속으로 쑤욱 들어갔습니다. 개의 육신이 튀어 오르는 것을 느꼈습니다. 육신의 경련이 제 몸속으로 파고들었습니다. 그 순간 제 몸 깊은 곳에서 무언가가 꿈틀거리는 것을 느꼈습니다. 그것이 무엇인지 알기도 전에 치솟아 올랐습니다. 희열이었습니다. 희열은 제 몸을 관통하면서 제 의식을 움켜쥐었습니다. 이렇게 꽉……"

칼을 움켜쥐고 있는 그의 손이 부들부들 떨렸다. 손등 위로 푸른 핏줄이 선명히 보였다.

"주위는 고요했습니다. 고요함 속에서 누군가가 저를 내려다보고 있었습니다. 그가 누군지, 보지 않고도 알았습니다. 저는 비틀거리며 일어나 죽은 개를 숲속에 버리고 공원을 나와 정처 없이 걸었습니다. 제가 걸음을 멈춘 곳은 성당 광장이었습니다. 하늘이 컴컴했습니다. 성당 문을 열고 들어갔습니다. 어스레한 성당 안은 춥고 눅눅했습니다. 옷에 묻은 피가 꺼멓게 보였습니다. 피에타상이 눈에 들어왔습니다. 성모 품에 안긴 그리스도의 시신이 동공 속으로 빨려들어 왔습니다. 축 늘어진 팔 아래 못에 뚫린 손바닥이 있었습니다. 무릎을 꿇고 뻥 뚫린 구멍을 들여다보았습니다. 저의 양 입술 끝이 올라갔습니다. 입술 끝이 올라가면서 입이 벌어졌습니다. 벌어진 입에서 웃음소리가 새어 나왔습니다. 예민하고 날카로운 웃음소리였습니다.

　—넌 나야.

어디선가 목소리가 들려왔습니다. 어디서 들려오는지 알 수가 없었습니다. 주위를 두리번거렸으나 사람이 보이지 않았습니다.

　—왜냐하면 우린 똑같은 것을 몸속에 품고 있으니까. 그것이 뭔 줄 알아? 순수한 악이야. 태초의 인간 속에 존재한, 인간이라는 생명체 속에서 장기의 한 부분처럼 자리 잡고 있는, 문명에 오염되지 않은 악 말이야. 무슨 말인지 모르겠다고? 조금 전 아이리시 세터를, 그 순진무구한 생명을 죽이는 순간 솟구쳐 오른 희열을 생각해봐. 그 희열이 어디에서 나왔다고 생각해? 하늘에서 떨어졌나? 그건 아니지. 네 안에서 생겨났다는 걸 너도 알잖아. 네 안의 순수한 악에서. 그러니까 넌 나지. 네가 피 묻은 옷을 입고 성당에 들어왔을 때 나 역시 피 묻은 옷을 입고 성당에 들어와. 네가 무릎을 꿇고 그리스도의 손바닥을 보고 있었을 때 나 역시 그것을 보고 있었어. 우

린 뻥 뚫린 구멍을 들여다보면서 무엇을 생각했나? 신이 우리의 몸에 깊숙이 박아 넣은 생명체를 생각하고 있었지. 순수한 악이라는 생명체 말이야. 우린 그 생명체를 몰랐어. 너무나 깊숙이 박아 넣었으니까. 우리가 그 생명체를 깨닫게 된 건 그리스도를 통해서야. 그리스도의 하염없는 사랑이 우리몸의 내부를 환히 밝혔거든. 그 기괴한 모습을 말이야. 그건 우리에게 영원한 결핍이었어. 우린 우리의 영원한 결핍 앞에서 수치심에 사로잡혔지. 수치심은 절망과 고통을 불러왔고, 절망과 고통은 증오를 불러일으켰어. 우리 자신에 대한 증오 말이야. 그렇다네. 그리스도의 사랑이 창조한 것은 우리 자신을 향한 증오였다네.

증오라는 말이 나오면서 그의 얼굴에 처음으로 슬픈 표정이 비쳤습니다.

—그래서 우린 끊임없이 상상하지. 자신을 죽이는 상상을. 왜? 그리스도의 사랑을 완성하기 위해서지. 난 그리스도의 사랑을 상상을 통해 완성하지 않아. 그건 기만이거든. 행동으로 완성해. 그래서 끊임없이 사람을 죽이는 거야. 몸속에 영원한 결핍을 품고 있는 사람을 말이야. 그가 바로 나니까.

목소리가 제 몸 안에서, 제 목구멍에서 흘러나온다는 것을 깨닫는 순간 경련과 함께 낯선 존재가 제 몸속으로 쑤욱 들어왔습니다. 숨 쉬기가 힘들었습니다. 낯선 존재가 저 대신 숨을 쉬고 있는 것 같았습니다. 얼굴의 느낌도 이상했습니다.

이물감과 함께 입가에 상처가 느껴졌습니다. 그 상처의 감각을 통해 제 얼굴이 변했음을 깨달았습니다."

나는 얼굴이 변했다는 그의 말을 받아들였다. 내면이 달라지면 얼굴도 변한다. 배우가 극중 인물의 감정 속으로 들어가면 실제로 신체 변화가 일어나기도 한다는 사실도 알고 있었다.

"겨우 몸을 일으켰습니다. 걸음을 걷는데, 제 걸음이 아니었습니다. 제 안에 들어온 누군가의 걸음이었습니다. 그렇다고 제가 사라진 것은 아니었습니다. 제 안의 어딘가에서 그를 느끼고 있었습니다. 성당을 나와 가로등이 있는 길모퉁이를 돌아서는데 어떤 남자와 마주쳤습니다. 남자는 흠칫 놀라더니 황급히 시선을 내려뜨리며 빠른 걸음으로 나를 지나쳤습니다. 남자의 얼굴은 두려움에 싸여 있었습니다. 그 순간 해방감과 함께 무엇을 움켜쥐고 싶은 충동이 일었습니다. 잠시 후 그것이 무엇인지 알았을 때 조금도 놀라지 않았습니다."

그 당시를 생각하는 듯 그는 눈을 가느스름하게 떴다.

"제가 움켜쥐고 싶었던 것은 칼이었습니다. 칼은 외투 호주머니 안에 있었습니다. 하지만 그것을 꺼내지 않았습니다. 피묻은 칼을 들고 거리를 걷는 것이 바보처럼 느껴졌습니다. 카페가 보였습니다. 창을 들여다보니 실내가 약간 어두웠습니다. 안으로 들어갔습니다. 모든 사람들의 시선이 저에게로 집중되었습니다. 제가 커피를 마시는 동안 카페 안은 정적에 싸여 있었습니다. 사람들은 숨소리마저 억제하고 있었습니다. 길모퉁이에서 느꼈던 해방감이 다시 일었습니다. 느낌이 전보다 훨씬 깊고 구체적이었습니다. 어떤 틀 속에 갇혀 꽉 조여 있던 영혼이 틀에서 벗어났을 때의 해방감 같은 것이었습니다. 커피를 다 마시고 자리에서 일어났습니다. 얼어붙은 표정으로 꼼짝도 않고 앉아 있는 사람들의 모습이 비현실적으로 느껴졌습니다. 호텔로 들어갔을 때는 전 내부의 존재를 숨겼습니다. 그러자 아무도 저를 눈여겨보지 않았습니다. 제 속에서 에니스가 사라진 것을 깨달은 것은 호텔 방에서 일기를 쓰고 있을 때였습니다. 에니스는 조커라는 캐릭터를 감당할 수 없었을 겁니다. 그러니 사라질 수밖에요. 그 사실을 깨닫는 순간 에니스에게서 비로소 해방되었다는 기쁨이 일었습니다. 그땐 제가 에니스의 영혼을 다시 그리워할 줄은 까맣게 몰랐습니다."

에니스를 이야기하면서부터 그의 얼굴이 슬퍼 보였다.

"촬영하는 동안 조커는 강한 에너지로 제 영혼을 흡입했습니다. 처음에는 황홀을 느꼈습니다. 변신이 불러일으키는 황홀이었죠. 하지만 언젠가부터 두려움이 일기 시작했습니다. 촬영을 하지 않을 때도 조커의 감정이 좀처럼 사라지지 않았습니다. 그는 저의 일부일 뿐입니다. 그럼에도 제가 그의 일부가 되어 차갑고 캄캄한 그의 영혼 속에 갇혀버린 것 같았습니다. 조커는 아무것도 아닌 존재입니다. 지문이 없습니다.

DNA도 치아 기록도 없습니다. 이름도 가명도 없습니다. 유령인 것입니다. 그 유령 속에서 영원히 빠져나오지 못할 것 같은 공포감에 자주 사로잡혔습니다. 조커는 저만의 문제가 아니었습니다. 미셸이 저 때문에 놀라는 빈도가 점점 늘어갔습니다. 당신이 누구인지 모르겠다고, 그런 당신의 모습이 너무 무섭다고 절망적인 목소리로 말했습니다. 마틸다에게서도 저를 낯설어하는 표정이 나타나곤 했습니다. 저에게 너무나 끔찍한 상황이 일어나고 있었습니다."

그의 목소리가 조금씩 빨라졌다.

"그러던 어느 날이었습니다. 유령 속에서 겨우 숨 쉬고 있는데 어떤 기척이 느껴졌습니다. 생명의 기척이었습니다. 전 깜짝 놀랐습니다. 누군가가 유령 속으로 들어왔으니까요. 처음에는 착각이겠거니 생각했습니다. 하지만 아니었습니다. 분명 생명이 느껴졌습니다. 정신을 집중했습니다. 양의 냄새가 났습니다. 양의 냄새가 나는 생명체가 어렴풋이 보였습니다. 굽은 어깨가 먼저 시선에 들어왔습니다. 휜 다리도 보였습니다. 일그러진 입과 거친 손이 아프게 눈에 박혔습니다. 에니스였습니다. 젊은 에니스가 아니었습니다. 잭이 죽고 나서야 그가 품었던 사랑의 깊이를 깨닫고 뼛속까지 파고드는 슬픔과 고독 속에서 다시는 돌아갈 수 없는 브로크백 마운틴을 그리워하는 늙은 에니스였습니다."

그의 목소리가 잠겼다.

"에니스는 저에게 다가와 제 손을 잡으며 여기를 나가자고 속삭였습니다. 저는 어리둥절했습니다. 어떻게 나갈 수 있는지, 알 수 없었기 때문입니다. 제 몸이 뜨는 것을 느꼈습니다. 에니스가 절 끌어당기고 있었습니다. 에니스는 물고기가 유영하듯 가볍고 투명한 동작으로 유령의 몸을 헤쳐 나가고 있었습니다."

물고기라고 말할 때 칩을 쥐고 있는 그의 손이 움직였다.

"잠시 후 우리의 몸이 하늘로 떠올랐습니다. 우린 날아가고 있었습니다. 황혼에 잠긴 강이 보였습니다. 우리가 내려간 곳은 은회색 양 떼가 있는 산기슭이었습니다."

"브로크백 마운틴이군요."

나의 말에 그는 미소를 지으며 고개를 끄덕였다.

"에니스는 저와 달리 유령 속에서도 자유롭습니다. 제가 촬영이 끝날 때까지 조커를 견딜 수 있었던 것은 에니스 때문이었습니다. 나중에 영화를 보시면 아시겠지만 조커의 눈에 간혹 비치는 슬픔의 빛은 에니스의 것입니다. 에니스의 혼이 조커 속으로 흘러 들어간 것이죠."

"눈여겨봐야겠군요."

"촬영을 마치자 전 안도했습니다. 조커를 견뎌냈다는 안도감이었지요. 하지만 미셸은 절 견디지 못했습니다. 촬영을 마친 지 얼마 안 되어 제 곁을 떠났습니다. 마틸다와 함께."

그의 눈에 눈물이 어렸다.

"제 일부가 찢겨 나간 것 같았습니다. 무엇으로도 채울 수 없는. 그런 저에게 조커가 속삭였습니다. 상상만 하지 말고 행동으로 옮기라고. 전 흠칫 놀랐습니다. 그가 무엇을 말하고자 하는지 알 수가 없었습니다. 선생은…… 어떻게 생각하십니까?"

그는 나를 빤히 보며 물었다.

"제가 어떻게 알겠습니까."

"겸손하시군요."

"겸손이라뇨?"

"선생은 심리학자잖습니까."

"배우는 직관적이고 창조적인 심리학자지요."

"제가 알고도 모른 척한다는 뜻인가요?"

"물론 그런 뜻은 아닙니다."

"제가 두려운 것은 저를 정확히 모른다는 사실입니다."

"자신을 정확히 아는 사람이 있을까요?"

"제가 상상을 행동으로 옮길 수 있는 존재인지 모르겠다는 겁니다."

"어떤 상상을 하시는지요?"

"온갖 상상을 다 하지요. 문제는……"

그는 눈을 감았다 잠시 후 떴다.

"그전에는 하지 않았던 상상을 한다는 것과, 그전보다 훨씬 더 구체적으로 한다는 것입니다. 저의 상상인지 조커의 상상인지 모르지만……."

"조커의 상상으로 생각하시는군요."

"그렇지 않을까요?"

"그럴 가능성이 크지요."

"어떤 때는 조커의 기억이 제 기억 속으로 흘러 들어옵니다. 그의 기억이 제 기억으로 변하는 거예요."

"조커가 상상을 행동으로 옮길까 봐 두려워하시는군요."

그는 고개를 끄덕였다.

"에니스에게 숨을 데가 많다는 말씀, 충분히 이해가 가네요. 그렇다고 늘 에니스 안에 있을 수만은 없잖습니까?"

"저도 알고 있습니다."

침울한 목소리였다.

"내일 여길 떠날 겁니다."

"어디로 가시는지요?"

"뉴욕의 집으로 갑니다. 전 쉬어야 해요. 너무 지쳤어요. 제 소원은……."

그는 나를 물끄러미 보았다.

"잠을 푹 자는 거예요. 오랫동안 잠을 제대로 못 잤습니다. 맑고 깊은 잠을 자고 싶어요. 아이가 자듯이."

아이가 자듯이,라고 말할 때 잿빛에 잠긴 그의 얼굴이 잠시 환해졌다.

"여긴 언제 오셨지요?"

"어제 왔습니다. 런던에서."

"왜 런던에서……"

"런던에서 새로운 영화를 촬영 중입니다."

"어떤 역할을 맡으셨나요?"

"정체불명의 사기꾼이에요."

"조커를 상대로 사기를 치시면 되겠군요."

"죽은 척해볼까요? 조커는 죽은 사람 속에서는 못 살거든요."

"아주 좋은 방법이네요."

"지금 객실로 가서 죽은 척하는 연습을 해야겠군요. 어쩌면 선생 덕분에……"

그는 일어서면서 말했다.

"오늘 밤 제대로 잠을 잘 수 있을지 모르겠군요."

"그렇게 되기를 바랍니다."

"에니스를 알아보신 분을 만나서 정말 반가웠습니다."

"제가 에니스를 만났다는 사실, 평생 잊지 못할 겁니다."

그가 손을 내밀었다. 우리는 작별의 악수를 했다.

"아, 참……"

등을 돌린 그가 돌아섰다.

"그 장면, 기억하세요? 코요테에게 뜯겨 죽어 있는 양의 모습 말이에요."

"에니스가 본……"

잭과 처음 관계한 다음 날 아침 에니스는 양의 무리에서 떨어져 죽어 있는 한 마리 양을 본다.

"네, 그 양. 그건 에니스 자신의 모습이지요. 전날 밤 죄를 지었으니. 하지만 정작 코요테에게 물어뜯겨 죽은 이는 잭이에요. 에니스 대신 잭이 죽은 거지요. 만약 제가 한 마리 양처럼 죽는다면 히스 레저로 죽는 게 아니라 에니스로 죽는 거예요. 히스 레저는 마틸다의 맑은 눈 속에 살아 있으니까요. 영원히."

나는 멀어져가는 그를 멍하니 보며 방금 그가 한 말을 되새겼다. 무슨 뜻으로 한 말인지 혼란스러웠다.

4

히스 레저가 뉴욕의 집에서 숨진 채 발견된 것은 그날로부터 이틀 후인 1월 22일 오후 3시 30분경이었다. 뉴스로 그 사실을 알았다. 뉴욕 경찰청은 히스 레저의 집에서 여섯 가지 약물을 발견했다면서, 마약 같은 불법적인 약은 아니었다고 발표했다. 2월 초순에는 뉴욕 병원이 검시 결과 약물 과량으로 인한 사고사라고 발표했다. 그의 나이 스물여덟이었다. 너무나 이른 나이였다. 하지만 나의 눈에 비친 그는 스물여덟 살 청년이 아니었다. 그의 얼굴은 수많은 생의 겹에 싸여 백 년을 넘게 산 늙은이처럼 보였다. 죽음이 어쩌면 그에게 축복이었는지도 모른다는 생각이 드는 이유는 거기에 있었다.

새의 시선

1

박민우가 손목 관절 통증으로 병원을 찾은 것은 2010년 12월 중순이었다. 손목이 부어 있었지만 심각한 상태는 아니었다. 당시 그는 서른일곱 살의 건강한 남자였다. 하지만 날이 갈수록 증상이 심해졌고 언제부턴가 목과 다리에도 통증이 일어난다고 호소하더니 급기야는 일상생활이 불가능할 정도로 근육 마비 증상이 광범위하게 나타나 한 달 후에는 입원하기에 이르렀다. 정형외과 과장이 나를 찾은 것은 박민우의 상태가 병리학적으로 납득되지 않았기 때문이다. 과장은 심리적 충격과 고통, 욕구 등이 신체의 이상 증세로 발현하는 전환장애가 아닌가 의심된다고 자신의 견해를 조심스레 밝혔다.

박민우에게 처음부터 관심을 기울인 것은 그가 사진작가였기 때문이다. 그동안 수많은 환자를 만났지만 사진작가는 처음이었다. 젊은 시절부터 카메라에 관심을 갖다 보니 자연스럽게 사진에 관심을 갖게 되었고, 마흔을 넘어서면서 관심의 집중도가 높아져갔다.

병실에 들어서자 체격이 크고 이목구비가 또렷한 남자가 침대에 반듯이 누워 있었다. 얼굴 표정은 물론 누워 있는 자세가 무척 편안하게 보였다. 그는 정신과 전문의가 자신을 찾아온 이유를 정형외과 과장을 통해 이미 알고 있었다.

"충격이 크겠습니다."

나의 말에 그는 미소를 지었다. 입가에 가느다란 주름 몇 개만이 겨우 나타난 그의 미소는 그렇지 않아요,라고 말하는 것처럼 보였다. 그 모습에 정형외과 과장의 의심이 맞겠다는 느낌을 받았다.

"사진작가라고 들었습니다."

"작가라기보다…… 사진을 찍으러 한동안 이리저리 다녔죠."

그가 부끄러운 듯 어색한 표정으로 말했다.

"어떤 연유로 사진을 찍게 되었습니까?"

"사진학과에 들어갔으니까요."

목소리가 시큰둥했다.

"허허, 그렇군요."

나는 유쾌하게 웃었다.

"그전에도 손목 관절 통증으로 병원을 찾은 적이 있나요?"

"이번이 처음입니다."

"이유가 뭐라고 생각합니까?"

"글쎄요……"

"카메라가 너무 무거웠나요?"

그는 가만히 나를 보았다. 질문의 뜻을 알고 있는 듯한 눈빛이었다.

"사물의 영혼을 너무 많이 훔쳤다고 생각했을 수도 있겠군요."

그는 여전히 침묵했다. 침묵의 표정이 어딘지 모르게 내가 알 수 없는 어떤 세계에 마음을 내려놓고 있는 듯한 느낌을 불러일으켰다. 그가 입을 연 것은 눈을 잠시 감았다 뜨면서였다.

"선생님은 누워 있는 제 모습이 못마땅하신 모양이네요."

"솔직히 말하면 그 반대입니다."

"왜요?"

"편안하게 보이니까요."

"감사합니다."

그는 환하게 웃으며 말했다.

"일상이 힘들었던 것 같군요."

"선생님은 힘들지 않습니까?"

"힘들긴 하지만 근육이 마비될 정도는 아닙니다."

"그렇다면 저를 치료할 이유가 없다는 사실을 아시겠군요."

나는 물끄러미 그를 보았다. 그의 말이 진심인지, 궁금했다.

"제 방문이 못마땅한가요?"

"그렇지는 않습니다. 어떤 말씀을 하실지 궁금합니다."

"이런 치료는 처음인가요?"

"네."

"아, 그렇군요. 일상에서 무엇이 가장 힘들었습니까?"

"대답하기 어려운 질문이네요."

"작가에게 가장 힘든 시기가 작품이 제대로 만들어지지 않을 때라고 들었습니다만……"

"그렇겠지요."

무심한 목소리였다.

"작가가 아닌 것처럼 말하는군요."

"전 작가가 아닙니다."

"어째서요?"

"사진을 찍지 않으니까요."

"카메라를 손에서 놓아버렸나요?"

"네."

"그 이유가 궁금하군요."

"선생님은……"

그가 눈썹을 치켜들었다.

"저의 손목 관절 통증과 근육 마비의 원인을 카메라의 무게 때문이라고 생각하시는군요."

그는 나의 생각을 정확히 짚었다. 카메라를 쥐는 행위, 셔터를 누르는 행위는 손의 동작이다. 사진 예술의 기본 행위가 손의 동작으로 이루어지는 것이다. 손목 관절 통증은 기본 행위를 못 하게 함으로써 그를 카메라에서 해방시킨다. 하지만 완전한 해방이 아니다. 손목 관절 통증 속에서도 카메라를 쥘 수 있고, 셔터를 누를 수 있다. 그러나 근육 마비는 다르다. 찍는 행위를 거의 불가능하게 만든다. 그와의 첫 대화에서 사진에 초점을 맞춘 이유는 여기에 있었다. 카메라의 무거움은 은유적 표현이었다. 그럼에도 내 생각이 틀릴 수 있음을 염두에 두었다. 전환장애의 요인들이 너무나 다양한 데다, 사진에 대한 나의 편애가 생각을 그쪽으로 몰고 간 측면이 있었기 때문이다.

"제가 잘못 생각했나요?"

나는 그의 표정을 살피며 조심스럽게 물었다.

"카메라의 무게가 곧 죄의 무게라고 제가 말한다면 선생님의 상상이 완성되지 않을까요?"

그는 나의 물음을 슬쩍 피하면서 의미심장한 말을 했다. 그가 왜 카메라에서 벗어나려고 하는지 무척 궁금했다. 그의 말이 의미심장하게 들린 것은 그 이유를 넌지시 알려주는 듯했기 때문이다.

"카메라의 무게와 죄의 무게가 등가가 되는 세계를 상상하는 일이 쉽지 않겠군요."

나의 말에 그는 시선을 내려뜨리며 무언가를 곰곰이 생각
하더니 잠시 후 시선을 올렸다.

"누군가가 말했지요. 사진의 가치는 보이는 것이 보이지 않
는 것들을 불러내는 데에 있다고."

존 버거의 말이다. 내 기억으로는 '사진의 가치'가 아니라
'사진의 권력'이다. 가치와 권력은 뜻이 많이 다르지만 이 문
장에서는 다르게 느껴지지 않는다.

"선생님께 보여드릴 게 있습니다."

그는 침대 가까이 있는 협탁 서랍을 열고 무언가를 꺼내 나
에게 건넸다. 「과거는 낯선 나라다」라는 영화 디브이디였다.
제목 아래에 '기억과 망각 사이의 딜레마'라는 문구와, 더 아
래에 '과거로부터 돌아서지만, 벗어나지는 않는다'라는 문구
가 눈에 들어왔다.

"특정한 사건과 연관된 사람들의 기억을 모은 다큐 영화입
니다. 이 영화에서 제가 가장 관심을 갖는 부분은 어떤 여성
의 기억입니다. 선생님도 관심 있게 보셨으면 합니다. 그 부
분이 어쩌면 보이는 것의 역할을 할지도 모르니까요."

"관심을 갖고 보아야겠군요."

나는 설핏 웃으며 말했다.

2

다큐멘터리 영화 「과거는 낯선 나라다」는 "그 일에 대한 기억이 없습니다"라는 누군가의 고백과 함께 한 장의 흑백 사진을 보여준다. 베트남 승려의 분신 사진이다. 불길은 흰색이고, 승려의 몸은 검은색이다. 검은색 몸은 불길에 휩싸여 있음에도 자세가 꼿꼿하다. 고통을 견디고 있는 것인지, 고통을 초월한 상태인지 알 수 없다. 그 사진을 서두에 배치한 것은 영화가 1986년 4월 28일 서울대학교 앞 신림사거리에서 당시 서울대 학생 김세진, 이재호가 전방 입소 대상자인 4백여 명의 학우들과 전방 입소 반대 시위를 하던 도중 분신, 사망한 사건을 다루고 있기 때문으로 보였다.

흑백 사진이 사라지면서 영화가 본격적으로 시작되는데, 박민우의 말대로 영화는 분신 사건과 직간접으로 관계한 아홉 사람의 증언으로 이루어져 있었다. 영화에서 내가 주목한 것은 사건을 기억하는 방식이었다. 증언자들은 스스로 기억하는 것이 아니라 인터뷰에 의해 기억을 강요당하고 있었다. 인터뷰어의 질문에 증언자들이 머뭇거리고, 침묵하고, 허공을 더듬고, 눈물을 흘리는 것은 기억의 괴로움 때문이었다.

나는 박민우가 가장 관심을 갖는다는 여성의 증언을 되풀이해서 보았다. 서울대 인류학과 85학번인 그녀의 증언은 20분 가까이 계속되는데, 2006년 7월 서울대학교 자하연 부근에서 촬영했음을 자막이 알려준다.

—1986년 4월 28일 아침부터 있었던 본인의 행동에 대해 자세히 말씀해주세요.

그 전날 신림사거리로 아침 일찍 모이라는 연락을 받아서 신림동 친구 집에서 잤습니다. 친구와 늦게까지 이야기하느라 제시간에 일어나지 못했어요. 너무 놀라 세수도 안 하고 나가 버스를 탔습니다. 가야쇼핑 부근에 내려 시위 현장으로 달려갔는데, 사건은 이미 벌어졌고 두 선배가 분신한 건물 옥상에서 검은 연기가 피어오르고 있었습니다. 교련복을 입은 85학번 남학생들이 울부짖으며 연좌 농성을 하고 있었고, 경찰이 그들을 끌어내어 차에 태우는 상황이었습니다.

—분신을 했던 두 사람이 누구인지 아셨나요?

그날 들었어요.

—그 두 사람, 예전에 만나본 기억이 있어요?

김세진 선배는 한 번 뵌 적이 있어요. 제가 2학년 때였습니다. 당시 총학생회장이 저더러 총학생회장단이 전부 수배되어 연락하기 어렵고, 또 보안이 필요하니 그런 역할을 해달라고 부탁해 김세진 선배를 신촌의 한 다방에서 잠깐 만났어요.

—다방 이름은 기억 안 나요?

생각이 안 나요. 허름한 곳이었어요.

—거기서 있었던 일 좀 말씀해주세요.

김세진 선배에게 무얼 전달하면 되었으니까 아주 짧게 뵈었습니다. 제가 먼저 가서 앉아 있었던 것 같아요. 김세진 선배가 걸어 들어와 제 앞에 앉았어요. 저는 의자 끝에 비스듬히 앉아 있었는데, 머리칼을 만지고 있던 김세진 선배가 제 운동화를 보면서 "야, 나도 운동화 한번 신어봤으면 좋겠다" 하고 말했던 게 기억이 나요.

—그 이유는 뭔가요?

당시 수배된 학생회 간부들은 회사원처럼 보이려고 정장 차림에 구두를 신고 다녔어요. 그래서 제 운동화를 보면서 그런 말을 한 것 같아요. 제가 덧붙여 생각하는지는 몰라도 김세진 선배께서 운동화를 신으면 날아갈 것 같다, 이런 말을 했던 것 같기도 하고……

—그 순간이 기억에 많이 남아요?

네.

—왜 그 순간이 그렇게 기억에 남아요?

김세진 선배를 만난 날이 선배가 분신자살을 하기 며칠 전이었어요. 두 선배가 분신자살을 했는데, 그중의 한 분이 김세진 선배라는 얘기를 듣고 제일 먼저 머리에 떠오른 것이 제 운동화를 보면서 운동화 한번 신어봤으면 좋겠다고 한 말이었어요. 저를 만났을 때 이미 분신자살을 결심한 상태였을까, 그게 제일 궁금했어요. 그래서 날아가고 싶다는 말을 한 게 아닐까, 그런 생각이 들었어요. 대학 다니면서 누군가에게 들은 말 중에 가장 잊히지 않는 말이에요. 「새」라는 노래가 있어요. 김지하 시인의 시에다 곡을 붙인 노랜데, 새 떼 무리 저

푸른 하늘…… 아무튼 그런 노래가 있는데, 그 노래만 들으면 그렇게 세진이 형 생각이 나요.

3

영화를 본 다음 날 오후 박민우를 찾았다. 그는 베개에 상체를 기대고 앉아 있었다.

"몸이 좋아졌나 보군요."

"간혹 이렇게 앉아 있곤 합니다. 힘들면 다시 눕지요."

"영화, 잘 봤습니다."

나는 디브이디를 협탁 위에 놓으며 말했다.

"지루하지는 않으셨나요?"

"무척 흥미로웠습니다. 기억이 영화의 주인공이니까요."

"선생님에게 기억이란 무엇이죠?"

"어떤 정신분석가가 말하길, 우리를 가장 고통스럽게 하는 것은 자신에게 하는 거짓말이라고 했습니다. 자신에게 거짓말을 하는 이유는 자신이 원하는 대로 생각하고 싶어 하기 때문입니다. 그래서 인간은 진실을 덮어버리는 일에 뛰어난 전문가라는 말이 생겨났지요. 진실을 고통스러운 기억으로 바꾸어도 되지요. 저 영화가 관객에게 괴로움을 불러일으켰다면 인간의 그런 속성을 거스르기 때문일 것입니다."

"선생님도 괴로움을 느꼈습니까?"

"저는 안 느꼈습니다. 일반 관객과 다른 입장이었으니까요."

"무슨 말씀인지……"

"제가 그 영화를 본 것은 보이지 않는 것을 보기 위함이었거든요."

"아, 그렇군요."

그는 미소를 지으며 고개를 끄덕였다.

"선생님은 김세진 그분이 운동화를 신으면 날아갈 것 같다는 말을 했다고 생각하시나요?"

목소리에 긴장이 묻어났다.

"저 역시 궁금한 부분인데, 명확하지 않더군요. 증언자가 그 말을 하기 전에 덧붙여 생각하는지는 몰라도,라고 전제하거든요."

"증언자의 상상일 수도 있다는 말씀이군요."

"그렇지요."

"선생님 느낌으로는 어느 쪽일 것 같아요?"

"어느 쪽이든 상관없을 것 같은데요. 김세진이 그런 말을 하지 않았더라도 표정에서 증언자가 그런 마음을 느꼈다면 실제로 말한 것처럼 생각할 수 있으니까요."

"아, 그렇군요."

나는 환해지는 그의 얼굴을 물끄러미 보았다. 얼굴이 왜 저토록 환해지는지, 궁금해졌다.

"새는 어떻게 생각하세요? 증언자가 「새」라는 노래를 들으면 세진이 형 생각이 난다고 하잖아요."

"그 말이 없었다면 영화가 많이 허전했을 것입니다."

"왜요?"

박민우의 눈이 반짝 빛났다.

"어떤 목적을 위해 스스로 몸을 태워 세상을 떠난 젊은 생명을 날개가 달린 새로운 생명으로 탄생시키고 있으니까요."

"하지만 그건 상상일 뿐이지 않습니까?"

"과거는 고정된 시간의 어떤 형태가 아닙니다. 현재의 시선에 의해 끊임없이 변하는 역동적인 생명체입니다. 상상은 과거를 현재와 연결시킴으로써 과거를 역동적인 생명체로 만드는 데 커다란 역할을 합니다. 상상력이 없으면 과거에 갇혀버리는 거죠. 과거에 갇히면 현재의 시간이 의미를 가질 수 없습니다. 의미 없는 삶 앞에서 인간이 할 수 있는 일이 무엇이겠습니까? 생각하고 싶지 않은 일들이 일어날 것입니다. 어떤 비정상적인 행위도 의미 없는 삶보다 나으니까요."

그는 나의 말을 묵묵히 듣고 있었다.

"박 선생이 저 영화에 관심을 갖게 된 특별한 이유가 있을 법한데요."

"혹시 오해하실까 봐 말씀드리는데, 부끄럽지만 영화를 보기 전까지 그런 참혹한 사건이 있었는지도 몰랐습니다."

"그래요?"

"영화를 보게 된 것은 우연이었습니다. 두 달 전쯤이었어요. 늦게 집에 들어갔더니 여동생이 거실에서 텔레비전으로 영화를 보고 있었습니다. 여동생은 영화와 관련한 일을 해 영화를 많이 보지요. 딱히 할 일도 없고 해서 여동생 옆에 앉아 봤는데, 그게 이 영화였습니다. 한 남자가 바다를 등지고 서서 회상의 어조로 어떤 이야기를 하고 있더군요. 처음에는 귀를 기울이지 않았습니다. 시선만 화면에 두고 있었지요. 제가 귀를 기울이기 시작한 건 남자의 괴로움 때문이었습니다. 남자를 괴롭히는 것은 기억이었습니다. 감당하기 힘든 기억을 견디는 남자의 몸에서 괴로움이 흘러나오고 있었습니다."

무언가를 골똘히 생각하면서 느릿느릿 말하던 그가 갑자기 흠칫 놀라며 옆을 보았다. 무엇을 보는지는 알 수 없지만 표정이 묘했다. 기쁨과 두려움을 동시에 느끼는 듯한 표정이었다. 나는 당황했다. 그는 분명 누군가를 보고 있는 듯했지만 내 눈에는 아무것도 보이지 않았다. 잠시 후 그가 스르르 일어나더니 침대에서 내려와 가만히 섰다. 불안정한 자세이긴 했지만 근육 마비 환자가 섰으니 놀라지 않을 수 없었다. 그는 내가 모르는 어떤 존재를 애원하는 듯한 표정으로 바라보고 있었다. 이상했다. 나무처럼 꼼짝 않고 서 있는데도 그의 몸이 수많은 움직임으로 들끓고 있는 듯했다. 몸 안에서 들끓고 있는 움직임이 금방이라도 몸 밖으로 튀어나올 것 같았다. 그가 말을 시작한 것은 애원하는 듯한 표정이 슬픔으로 변하면서였다. 괴로움에 싸인, 가슴을 저리게 하는 슬픔이었다.

"잠시 후 사이렌 소리가 들리더니 헬멧을 쓰고 청바지를 입은 사복 경찰조가 몽둥이를 들고 건물 계단으로 뛰어 올라갔습니다. 계단에 학생들이 있었는지 치고받는 소리가 났고, 그러고는 조용해졌습니다. 옥상을 올려다보니 한 사람이 옥상 저쪽 계단 입구를 향해 소리를 지르고 있었습니다. 무슨 상황인지는 몰랐지만 백골단이 뛰어 올라오니까 오지 말라고 소리를 지르는 것 같았습니다. 그 사람의 상반신만 보였는데, 갑자기 그의 몸에서 불꽃이 튀어 오르면서 화염에 휩싸였습니다."

말의 내용에도 놀랐지만 내가 그보다 더 놀란 것은 목소리 때문이었다. 그것은 그의 목소리가 아니었다.

"두 사람은 불이 붙은 상태로 구호를 외쳤습니다. 저는 불이 붙은 상태에서도 저렇게 오래 생명이 붙어 있구나, 그런 어리석은 생각을 했고, 사람이 불에 탄다면 그 온도가 얼마나 되고 얼마나 뜨거울까, 그런 이상한 생각을 했습니다. 어렸을 때 화상 입었던 기억이 나면서 그보다 몇천 배는 뜨겁겠지, 저렇게 불에 휩싸여 있으니까, 그런 어처구니없는 생각을 했고, 두 사람이 굉장히 오랫동안 구호를 외쳤던 생각이 납니다. 마치 정지된 시간처럼. 한 사람이 몸을 숙이는 바람에 '퍼펙트 당구장'이라는 간판이 그을렸는데, 나머지 한 사람은 시야에서 사라졌습니다. 학생들은 백골단에 잡혀서 닭장차에 실려 갔고, 거리에는 아무 일 없었던 것처럼 다시 차들이 다니고 사람들은 제 갈 길을 갔습니다."

그의 눈에서 눈물이 주르르 흘렀다.

"어떻게 학교에 갔는지 모르게 학교에 갔고, 학교에는 대자보가 붙어 있었고, 김세진, 이재호가 분신을 했다고 씌어져 있었고, 무슨 영문인지 몰라 멍한 표정으로 대자보를 보는 학생들의 얼굴이 보였고, 또 언제나 그랬듯이 강의하러 가는 교수들의 무표정한 얼굴도 보였고, 공부하러 가는 학생들도 보였고, 그 모든 상황들이 낯설게만 느껴졌습니다. 사람이 죽었는데 사람들이 이렇게 평온……"

목소리가 뚝 끊겼다. 그는 공기가 희박한 곳에 있는 것처럼 헐떡였다. 안색이 너무 창백해 종잇장 같았고, 두 다리가 덜덜 떨렸다. 금방이라도 쓰러질 것 같아 그를 부축해서 침대에 눕혔다. 그는 일어나려고 애를 썼지만 근육이 무력한 상태가 되었는지 제대로 움직이지 못했다. 나에게 무어라고 말하려는 듯했으나 한마디도 못 했다. 나를 보는 눈빛이 가물가물했다. 눈을 뜰 힘조차 없는 것 같았다. 그는 맥박이 느려지더니 잠시 후 축 늘어졌다.

4

그날 밤 「과거는 낯선 나라다」를 다시 보았다. 박민우가 빙의된 듯이 보이는, 바다를 등지고 서서 기억을 추궁당하는 남자는 마지막 증언자다. 박민우는 남자의 몸에서 흘러나오는 괴로움 때문에 그의 말에 귀를 기울였다고 했다. 남자의 괴로움은 인터뷰어의 질문에서 비롯된다. 인터뷰어는 차갑고 건조한 목소리로 증언자의 기억을 추궁한다. 화면에는 기억을 추궁하는 자의 모습이 안 보인다. 추궁당하는 자의 모습만 보인다. 영화를 보다 보면 인터뷰어의 존재가 자연스럽게 감독과 동일시되는 까닭이 여기에 있다. 그런데 마지막 증언자에게 놀란 이유는 그가 감독이었기 때문이다. 추궁하는 자가 추궁당하는 자로 변신했으니 놀랄 수밖에 없었다. 그 변신을 보면서 박민우의 변신을 생각했다.

박민우의 변신 전후의 상태를 보건대, 그는 환각 속에 있었다. 환각이 그를 증언자로 변신시킨 것이다. 그는 영화 속 증언자가 한 말을, 내 눈에는 보이지 않는 어떤 존재를 향해 거의 정확하게 되풀이했다. 1986년 4월의 분신 사건을 몰랐던 박민우가 무엇 때문에 그 사건을 고통스럽게 기억하는 남자로 변신했는지, 환각 속에서 마주한 존재가 누구인지, 궁금하지 않을 수 없었다. 궁금한 것은 더 있었다. 김세진이 여성 증언자의 운동화를 보면서 했다는 말에 박민우가 그토록 깊은 관심을 갖는 이유와 함께, 운동화와 새에 관한 나의 생각을 이야기했을 때 무겁고 어두운 그의 표정이 환해진 이유가 한층 궁금해졌다.

정신과 전문의의 곤혹스러움은 병의 원인을 환자의 정신에서 찾아야 하는 데에 있다. 정신과 신체는 서로에게 가역적으로 영향을 미치지만 정신은 신체와 달리 눈에 보이지 않는다. 눈에 보이지 않는 정신을 의사는 환자의 이야기를 통해 시각화한다. 시각화의 명료성이 환자 이야기의 명료성과 직결됨은 말할 나위가 없다. 문제는 환자가 제대로 이야기하지 않는다는 데에 있다. 치료하려고 병원을 찾았음에도 적지 않은 환자들이 의사 앞에서 자신의 내면을 감추거나 위장하는 까닭은 내면을 드러내는 것이 부끄럽거나 수치스럽기 때문이다.

박민우도 내면의 무언가를 숨기고 있었지만, 말할 때의 표정이나 말의 내용으로 보아 부끄러움이나 수치심 때문만은 아닌 것 같았다. 무언가를 숨기면서도 동시에 드러내고 싶어 하는 듯했기 때문이다. 영화 디브이디를 나에게 건넨 것은 무언가를 드러내고 싶어 하는 심리의 표현으로 보였다.

갈증이 일었다. 몸의 갈증이기도 했고, 마음의 갈증이기도 했다. 부엌으로 가 냉장고에서 맥주를 꺼냈다. 1986년 4월…… 나는 중얼거리며 맥주를 유리잔에 따랐다. 기억이란 희뿌연 빛이 떠도는 어둡고 깊은 터널과 비슷하다. 그 희뿌연 빛 속에 무언가가 어렴풋이 보인다. 길쭉한 지하 복도다. 복도 끝에는 해부학 실습실이 있다. 머리가 텁수룩한 청년이 복도를 걸어가고 있다. 청년은 나이기도 하고 내가 아니기도 하다. 청년과 나 사이에 시간이라는 심연이 가로놓여 있다. 그 심연을 들여다보면 아득하다. 간혹 심연이 흔들려 나와 청년의 경계가 무너지기도 한다.

김세진, 이재호의 분신 소식을 들은 것은 해부학 실습실로 가고 있을 때였다. 동기생 가운데 누군가가 알려주었다. 동기생의 목소리가 어땠는지는 기억나지 않지만 표정은 기억에 남아 있다. 금방이라도 어디론가 달려갈 듯한 표정이었다. 실습실 옆쪽에 마련된 실습용 시신 추모 분향소에서 묵념하는 동안 불타고 있는 인체를 상상해보았다. 잘 떠오르지 않았다. 라텍스 장갑과 마스크를 착용하고, 보관함에 있는 사체를 동기생과 함께 들어올린 후 사체를 싼 비닐을 벗겨냈다. 적갈색 사체의 차가움이 낯설었다. 혈액을 제거하고, 근육을 헤쳐서 신경을 찾고, 복부를 가르고 내장을 들어내고 있을 때 불길에 허물어지는 육신이 자꾸만 어른거렸다. 새카맣게 잊고 있었던, 박민우를 만나지 않았다면 영영 잊었을지도 모를 기억이었다. 증언자의 한 사람으로 영화에 출연한 이재호 아버지의 모습이 떠올랐다. 촬영 장소는 그의 집 툇마루였다.

인터뷰어의 거듭되는 질문에도 그는 끝까지 침묵했다. 그의 얼굴을 응시하던 카메라는 침묵을 견딜 수 없었는지 시선을 그의 뒷모습, 열린 대문과 그 너머의 풍경으로 이동했다. 불길에 사라진 자식을 기억해야 하는 그에게 침묵은 기억의 고통을 표현할 수 있는 유일한 언어였을 것이다. 김세진은 5월 3일, 이재호는 5월 26일 숨을 거두었다. 그들이 마지막 숨을 쉬고 있을 때 나는 무엇을 하고 있었는지, 알 길이 없다.

5

　박민우의 병실을 찾은 것은 닷새 후였다. 지방에서 열린 정신분석학 세미나에 참석한 데다 주말이 이어졌기 때문이다. 내가 병실에 들어갔을 때 그는 누운 자세로 책을 보고 있었다.

　"무슨 책인가요?"

　"미술 서적입니다."

　그가 책을 덮으며 말했다.

　"그림을 좋아하세요?"

　"고등학교 시절에는 화가를 꿈꾸었습니다."

　"왜 사진작가로 바뀌었나요?"

　"아마도…… 영혼의 꼴이 그림보다 사진에 더 가까웠나 보지요."

　"공감할 수 있는 표현이네요."

　나의 말에 그는 미소를 지었다.

　"새에 관심이 많은 것 같더군요."

　"제가 특전사 출신인 것, 모르시죠?"

　"아, 그래요? 뜻밖이네요."

　"초등학교 3학년 때였어요. 엄청나게 큰 비행기에서 떨어지는 낙하산을 넋을 잃고 본 적이 있어요. 사람이 새가 될 수 있다는 사실을 처음 알았거든요. 그게 특전사 고공강하 훈련이었어요."

　"그래서 특전사로 가셨군요."

"네."

"김세진이 새가 되었다고 생각하세요?"

"희망이죠."

"아름다운 희망이군요."

"무서운 희망이기도 하지요."

"왜요?"

"불길을 견뎌야 하니까요."

"그렇군요."

나는 고개를 끄덕이며 말했다.

"그날 놀라게 해드려서 죄송합니다."

"의사의 입장에서는 고마운 일이지요. 질문거리가 생겼으니까요."

"다행이군요."

그가 진심으로 말하고 있음이 표정에서 느껴졌다.

"그날 박 선생 눈앞에 나타난 이는 누구였습니까?"

"뭐라고 표현해야 할지 모르겠네요. 불길을 견디는 존재라고 할까요……"

"김세진이라는 뜻인가요?"

"불길을 견디는 이는 그분만이 아닙니다."

"그렇긴 합니다만……"

"대부분의 사람들은 불길을 견디지 못합니다. 그렇기 때문에 불길을 견디는 존재 앞에서 부끄러움과 두려움을 동시에 느끼지요."

그가 변신했던 영화 속 증언자가 떠올랐다.

"불길이라는 말을 꼭 한 가지 뜻으로만 생각할 필요는 없습니다. 선생님이 말씀하셨지요. 인간은 진실을 덮어버리는 일에 뛰어난 전문가라고. 불길을 진실로 바꾸어도 되지요. 고통스러운 기억으로 바꾸어도 되고요."

"그날 박 선생 앞에 나타난 이는 진실을 견디는 존재이기도 하군요."

"사람에게 일상적 자아만이 있는 게 아니잖습니까. 일상적 자아보다 더 순수하고 깊은 자아가 있지요. 일상적 자아가 진실을 싫어하고 끔찍해한다면, 다른 자아는 진실을 품지요."

"단순하게 생각하면 양심 같은 것이군요."

"그렇게 생각할 수도 있겠네요."

"박 선생의 양심이 어떤 연유로 불길을 견디는 존재의 모습으로 나타나는지 물어도 될까요?"

"선생님이 그렇게 질문하시니 고흐가 생각나네요."

공허해 보이던 그의 눈이 고흐를 말할 때 잠시 빛났다.

"고흐가 동료 화가인 베르나르에게 보낸 편지에 자신이 최근에 그린 풍경화에 대한 설명이 있습니다. 고흐는 그 풍경화를 언덕 위에서 새의 시선으로 내려다본 풍경이라고 표현했습니다. 고흐가 단순히 언덕 위에서 내려다보았기 때문에 새의 시선이라는 말을 사용했을까요? 저는 고흐가 새의 감각으로 풍경을 보려고 했다고 생각합니다. 새의 감각을 갖는다는 것은 새의 영혼을 갖는다는 뜻입니다. 저는 고흐의 그 풍경화를 들여다보면서 새의 감각을 생각했습니다. 사람의 감각은 어머니 몸속에서 형성됩니다. 양수의 아늑한 촉감 속에서, 어머니의 움직임이 빚는 율동에 싸여 먼 우주 공간에서 들려오는 듯한 어머니 몸의 소리를 듣습니다. 이 순수한 감각을 깊이 꿈꾸면 새의 감각에 닿을 수 있으리라고 저는 생각했습니다."

복도에서 두런두런하는 소리가 들렸다가 조용해졌다.

"인간의 몸을 유심히 관찰해보면 불완전한 움직임의 집적체임을 알 수 있습니다. 그러니 인간의 일상이 불완전한 움직임으로 가득 차 있을 수밖에 없지요. 춤이 아름다운 것은 불완전한 움직임을 넘어서려는 열망이 깃들어 있기 때문입니다. 춤의 궁극은 중력으로부터의 자유입니다. 새처럼 말입니다. 여기에서 저는 고흐를 떠올렸습니다. 고흐가 새의 시선으로 풍경을 보는 순간 그의 영혼이 새의 영혼으로 변화하면서 그의 몸 역시 완전한 움직임의 집적체로 변화했을 것입니다."

그의 눈은 꿈속에 있는 것처럼 몽롱했다.

"전 그런 순간을 경험한 적이 있습니다. 불길 속에서."

불길이라는 말에 가슴이 덜컹했다.

"어떤 불길이었습니까?"

"허구를 현실로 만들고 현실을 허구로 만든, 그리하여 카메라의 무게와 죄의 무게를 순식간에 등가로 만들어버린 불길이었습니다."

그는 갑자기 추위를 느끼는 듯 두 팔을 옆구리에 붙였다. 핏기 잃은 입술 사이에서 신음이 흘러나왔는데, 어깨가 가늘게 떨리고 있었다.

"불길의 상황에 대해 구체적으로 들을 수 없을까요?"

조심스러운 나의 청에 그는 힘겹게 고개를 저었다. 눈은 빛을 잃고 움푹 들어가 있었다.

"죄송하지만 쉬어야겠습니다. 갑자기 견디기 힘든 피로가 몰려오네요."

"그렇게 보이는군요. 저에게 부탁할 일은 없습니까?"

"네."

"그럼 푹 쉬세요."

"전 선생님께 무척 감사하고 있습니다."

"왜요?"

"제가 갖고 싶었던 것을 주셨으니까요."

"제가 뭘 주었나요?"

"희망입니다."

목소리가 겨우 들렸다.

"제가 무슨 희망을 주었는지 모르겠군요."

"언젠가…… 아시게……"

기력이 없는지 그는 더 이상 말을 하지 못하고 눈을 감았다.

6

박민우가 사라진 것은 다음 날이었다. 간호사가 그 사실을 안 것은 오후 3시 무렵이었다. 사라졌다는 것은 그가 근육 마비에서 벗어났음을 뜻했다. 퇴원 수속을 하지 않았고, 옷, 가방 등 외출에 필요한 것들 외에는 소지품이 병실에 그대로 있었다. 잠시 외출한 듯이 보였으나 병원 측에 알리지 않은 것은 아무리 생각해도 자연스럽지 않았다. 근육 마비가 갑자기 풀린 것도 의외였다. 그의 휴대폰 전원은 꺼져 있었다.

오후 6시 조금 못 돼 연락을 받고 병원에 온 박민우의 여동생 박윤서는 오빠의 행방을 모르고 있었다. 오는 길에 보광동 집에 들렀으나 그가 다녀간 흔적은 없었다고 했다. 박민우보다 다섯 살 아래인 그녀는 어린 시절부터 살았던 집에서 양친이 돌아가신 후에도 오빠와 함께 살고 있었다. 박윤서가 그와 친분 있는 사람들에게 전화를 걸었으나 누구도 박민우의 행방을 알지 못했다. 그사이 나는 그의 집과 휴대폰으로 여러 차례 전화했으나 받지 않았다.

"어딜 갔는지, 짚이는 데가 없나요?"

"생각나는 데가 없어요."

그녀는 낙담한 표정으로 말했다.

"오빠의 근육이 왜 마비되었다고 생각하세요?"

"잘 모르겠어요."

"이상한 점은 없던가요? 갑자기 달라졌다든가……"

"저에게 오빠는 늘 이상했어요."

목소리가 침울했다.

"「과거는 낯선 나라다」라는 영화 아시죠?"

"어떤 영화인데요?"

"1980년대 김세진, 이재호 분신 사건을 소재로 한…… 그 사건을 기억하는 증언자들이 나와……"

"아, 그 영화요."

"박 선생이 함께 봤다고 하던데요."

"그 영화를 오빠와 함께 봤다고요?"

그녀는 눈을 동그랗게 뜨며 물었다.

"기억이 안 나요?"

"네."

"박 선생이 불과 관련하여 충격받은 일이 있나요?"

"불이라면……"

그녀의 눈이 가느스름해졌다.

"사소한 것 이외에는 딱히 생각나는 게 없네요."

"사소한 것, 이야기해보시죠."

"별일 아닌 것이라……"

그녀는 어깨를 움츠리며 머뭇거렸다.

"괜찮아요. 얘기해보세요."

"제가 동시 녹음 기사이거든요. 영화에 소리를 담는……"

"아, 알아요. 재밌는 일을 하시네요."

여동생이 영화와 관련한 일을 한다는 박민우의 말이 떠올랐다.

"오빠 제가 채집한 소리를 즐겨 들었어요. 그래서 채집한 것들 가운데 오빠가 좋아하는 소리를 종종 들려주곤 했어요."

그녀의 얼굴이 처음으로 밝아졌다. 입가에는 미소가 어렸고, 흐릿한 눈동자에 빛이 모였다.

"어떤 소리들을 좋아했나요?"

"자연의 소리는 다 좋아했어요."

"새소리도 좋아했나요?"

"제일 좋아하는 소리였어요. 오빠의 영상 촬영 카메라 안에는 새밖에 없을걸요?"

"박 선생이 영상 촬영도 했나요?"

"새를 찾으러 다닐 때는 영상 촬영 카메라를 꼭 갖고 갔어요."

"음, 그랬군요."

"몇 달 전 시골 외딴집 부엌 아궁이에 불을 지필 때 채집한 소리를 오빠와 함께 들은 적이 있었어요. 자작자작 나무 타는 소리가 나는데 오빠의 모습이 이상했어요. 입을 꽉 다물고 맞은편 벽을 뚫어져라 보는 거예요. 몹시 긴장한 표정이었어요. 왜 그러냐고 물었는데도 오빠 듣지 못하는 것 같았어요. 하도 이상해서 오빠 왜 그래? 하면서 팔을 잡고 흔들었어요. 오빠 흠칫 놀라며 절 보더니 어색하게 웃었어요. 그러고는 어젯밤 잠을 못 자 피곤했던 모양이라고 하면서 방을 나갔어요."

그녀의 표정이 어두워지고 있었다.

"그 후로 오빠 그날의 일을 입 밖에 내지 않았어요. 전 대수롭지 않게 생각하려고 애썼어요. 그러면 마음이 편해지거든요. 오빠 어딜 갔을까요? 어딜 갔기에 아직도 돌아오지 않는걸까요?"

그녀는 중얼거리듯이 말하며 멍하니 창밖을 보았다.

7

박민우가 발견된 것은 사라진 지 이틀 만이었다. 그날 오전 7시 조금 넘어 용산구 한강로에 위치한 고층 아파트 시티파크 앞 도로를 걷던 주민이 아파트 옥상에서 떨어지는 사람을 보았다. 박민우였다. 그가 떨어진 곳은 도로 너머 잡풀로 덮인 공터였다. 내가 놀란 것은 42층에서 떨어졌음에도 그의 시신이 믿기 힘들 정도로 깨끗하다는 점과, 흰 운동화를 신고 있었다는 점이다. 흰 운동화를 보는 순간 김세진이 여성 증언자의 운동화를 보면서 했다는 말과 함께, 고흐와 새의 시선에 대해 이야기하면서 그가 지은 표정이 동시에 떠올랐다.

투신 장소도 예사롭지 않았다. 그가 떨어진 공터는 2009년 1월 20일 새벽, 재개발 강행에 반대하며 용산 4구역 남일당 건물 옥상에 망루를 짓고 항거하던 철거민들과 진압 경찰 간의 충돌 과정에서 망루에 불이 나 철거민 다섯 명과 경찰관 한 명이 사망한 용산 참사 현장 부근이었다. 김세진의 죽음 공간과 용산 참사의 죽음 공간 모두 불과 연관이 있다.

여기에서 새롭게 떠오르는 의문이 박민우와 용산 참사의 관계였다. 용산 참사의 무엇이 그를 카메라의 무게가 죄의 무게가 되는 세계 속으로 밀어넣어 자아의 분리에까지 이르게 했는지, 의문을 가질 수밖에 없었다. 나는 이 의문을 풀어야 했다. 내가 그에게 희망을 주었다는 그의 말이 가시처럼 파고들었기 때문이다.

박윤서는 나의 질문에 어리둥절해하면서 오빠에게서 용산 참사와 관련된 말을 들은 적이 없다고 했다. 박민우와 특별하게 가까운 사람들의 연락처를 알고 싶다고 하자 그녀는 세 명의 전화번호를 건넸다. 나는 그들과의 전화 통화에서 나와 박민우의 관계에 대해 설명하고 그의 죽음을 알린 후 도움을 청했다. 세 사람 모두 아는 것이 없다고 말했지만 한 사람의 목소리에서 머뭇거림이 느껴졌다. 그가 윤기훈이었다. 박윤서의 말에 따르면 경찰관인 그는 박민우와 특전사 동기라고 했다.

윤기훈은 나의 기대대로 장례식에 참석했다. 박민우의 육신이 화장로의 불길 속으로 들어갈 때 그는 울음을 삼켰다. 그가 진정되었을 때쯤 그에게 다가가 악수를 청하며 내 신분을 밝혔다. 그는 어색한 동작으로 내 손을 잡았다.

"경찰관이라고 들었습니다."

"네."

"박 선생의 투신 장소가 용산 참사 현장인 데에는 이유가 있을 것이라고 생각합니다. 제가 이런 이야기를 하는 것은 윤 선생이 그것에 대해 조금이라도 알고 계실 것 같기 때문입니다."

그는 시선을 아래에 둔 채 침묵했다. 잠시 후 그가 시선을 들었는데, 눈이 벌겋게 충혈되어 있었다.

8

박민우의 뼛가루는 경기도 가평의 아늑한 산자락에 서 있는 산벚나무 아래 묻혔다. 박민우가 새를 촬영하러 자주 왔던 곳이라 했다. 장례 버스가 가평을 떠나 서울에 도착했을 때는 해가 뉘엿뉘엿 지고 있었다. 버스에서 먼저 내린 윤기훈이 나를 기다리고 있었다. 소주를 한잔하고 싶다고 했다. 우리는 조용하게 보이는 한식집으로 들어갔다. 한동안 말없이 소주를 마시던 그가 입을 연 것은 세번째 소주병을 따면서였다.

"제가 민우와 특전사 동기인 것, 아시죠?"

"네."

"제가 전역하고 경찰특공대에 지원한 후로 한동안 민우를 만나지 못했습니다. 민우를 다시 만난 건 2006년 봄이었습니다. 제가 민우의 사진 전시회에 갔죠. 그 후 우린 시간이 맞으면 카메라를 들고 새를 찾아 시골 숲을 돌아다녔습니다. 제가 카메라에 좀 취미가 있거든요."

그의 입가에 미소가 번졌다 금방 사라졌다.

"철거민들이 용산 4지구 남일당 건물 옥상에 망루를 짓고 농성하고 있을 때 저는 경찰특공대 전술팀장이었습니다. 농성 진압 명령을 받은 것은 참사 하루 전인 1월 19일이었습니다. 다음 날 새벽 3시에 출동하여 30분 후 현장에 도착했습니다. 제가 민우에게 전화한 것은 5시 조금 넘어서였습니다. 그 새벽에 전화한 것은 채증 요원의 영상 촬영 카메라가 무슨 까닭인지 작동되지 않았기 때문입니다. 작전이 언제 시작될지 모르는데 카메라가 그런 상태이니 민우를 생각할 수밖에 없었습니다. 민우의 집이 거기서 엎어지면 코 닿을 곳에 있으니……"

그는 말끝을 흐리며 소주병을 잡았다.

"잠에서 막 깨어난 듯한 목소리로 전화를 받은 민우에게 설명은 나중에 할 테니 지금 당장 영상 촬영 카메라를 갖고 용산 4구역 농성 현장으로 오라고 했습니다. 민우는 30분도 채 안 돼 왔더군요. 다행히 그때까지 작전이 시작되지 않았습니다. 제가 카메라가 필요한 이유를 설명하자 민우는 실망한 기색이 역력한 표정으로 이 카메라가 네 눈에는 아무나 사용하는 물건으로 보이느냐고 퉁명스럽게 물었습니다. 제가 당황해하자 민우는 이 안에 무엇이 들어 있는지 너도 알잖아? 하더군요. 제가 어리둥절한 상태에서 뭐가 들어 있느냐고 물었더니 새의 영혼, 하고 민우가 속삭이듯 말했습니다. 그 순간 잊고 있던 기억이 떠올랐습니다. 한 해 전 가을 어느 날, 아침 일찍 새를 찍으려고 산간 마을에 묵은 적이 있습니다. 새벽 공기를 마시며 걷고 있는데 민우가 걸음을 멈추었습니다. 이슬에 젖은 풀 위에 죽어 있는 새 한 마리가 보였습니다. 민우가 살며시 새를 만지더니 몸이 따뜻하다고 속삭이고는 촬영을 시작하더군요. 새와 함께 푸르스름한 새벽빛, 바람에 흔들리는 풀, 그 뒤의 들판, 그 속에서 들려오는 고요한 소리들이 민우의 카메라 속으로 흘러 들어갔습니다. 숲에 들어가 새 울음소리에 귀를 기울이고 있는데 민우가 자신의 카메라를 손가락으로 가리키며 이 안에 무엇이 들어 있는 줄 아느냐고 물었습니다. 모른다고 하자 새의 영혼, 하고 속삭이듯 말하더군요."

윤기훈의 표정이 아련해졌다.

"제가 낭패감으로 어쩔 줄 몰라 하자 민우가 한 가지 방법이 있다고 말하더군요. 뭐냐고 했더니 자신이 채증 요원의 역할을 대신하는 것이라고 했습니다. 채증 요원은 경찰청 정보국 소속입니다. 민간인은 채증할 수 없다는 나의 말에 민우는 그건 알지만 이 상황에서 유일한 해결책은 그 방법밖에 없다고 하면서, 직속 상관의 허락을 얻는 데 자신이 특전사 출신이라는 사실이 도움이 될 것이라고 했습니다. 민우의 말이 맞았습니다. 상황을 보고하면서 카메라 주인이 특전사 동기라고 덧붙이자 못마땅한 표정을 짓고 있던 직속 상관이 표정을 풀면서 그렇게 하라고 하더군요. 그도 특전사 출신이거든요. 그렇게 해서 민우는 나중에 대원들이 지옥이라고 표현한 남일당으로 들어간 것입니다."

경찰특공대는 남일당으로 진입할 때 층별 내부 도면조차 보지 못했다고 했다. 망루 구조도 몰랐고, 망루 안에 화염병과 시너 등 위험 물질들이 얼마나 있는지도 몰랐다고 했다.

"돌이켜보면 마치 무엇에 쫓기듯이 다급하게 밀어붙인 작전이었습니다. 그렇게 밀어붙이다 보니 질주를 언제 어떻게 멈추어야 하는지 아무도 몰랐던 것입니다. 철거민들의 마지막 거점인 망루가 순식간에 지옥으로 변해버린 것은 질주의 결과였습니다. 대원들은 망루에 두 번 진입했습니다. 첫번째 진입은 6시 50분에 있었습니다. 4층 구조의 망루는 칠흑같이 어두웠고, 철거민들은 4층에서 저항하고 있었습니다. 불이 난 것은 7시 6분이었습니다. 소화기로 간신히 끈 후 망루 반대편 옥상으로 퇴각했습니다. 그때가 7시 8분이었습니다. 두번째 진입은 10분 후에 시작되었습니다. 1차 진입 시 망루 안에 다량의 유증기가 발생한 것을 대원들은 알고 있었습니다. 그런 상태에서 다시 진입한다는 것이 얼마나 위험한지도 알고 있었습니다. 농성 장소에 인화물이 있으면 진입해서는 안

된다고 경찰 진압 작전 지침서에 나와 있습니다. 그럼에도 진입했고, 잠시 후 돌이킬 수 없는 화재가 난 것입니다."

그의 얼굴은 회한에 잠겨 있었다.

"저는 거기까지 받아들일 수 있습니다. 그것은 명령이었고, 대원들은 명령을 수행해야 했으니까요. 하지만 민우가 그런 지옥 속으로 들어간 것은 지금도 받아들이기 힘듭니다. 채증 요원 한 명이 빠진다고 작전이 어떻게 되지는 않습니다. 그럼에도 민우에게 전화한 건 빈 데가 보이면 채워야 직성이 풀리는 제 성격 탓이었습니다."

"그건 윤 선생 탓만은 아니잖습니까?"

"그렇지 않습니다."

윤기훈은 고개를 저었다.

"카메라에 대한 민우의 특별한 애정을 저는 알고 있었습니다. 민우에게 카메라는 아무에게나 빌려주는 단순한 물건이 아니었습니다. 민우만이 느끼는 생명체였으니까요. 민우가 자신이 들어가겠다고 한 것은 그 상황에서 그것이 나를 위한 유일한 방법이었기 때문입니다. 선생님의 말씀을 받아들일 수 없는 이유를 이해하시겠습니까?"

내가 고개를 끄덕이자 윤기훈의 입가에 가느다란 미소가 흘렀다.

"민우는 두 번 다 망루 안에 있었습니다. 나중에 그 사실을 안 저는 너무 화가 나 그 위험한 곳을 왜 두 번씩이나 들어갔느냐고 소리를 질렀습니다. 거기에서 민우가 무엇을 보았는 지 전 모릅니다. 제가 물었을 때 민우는 침묵했습니다. 침묵 이 괴롭게 느껴지기 시작할 무렵 민우가 말하더군요. 자신이 본 모든 것들이 카메라 안에 다 들어 있다고. 하지만 카메라 는 압수당했고, 민우의 존재는 남일당에서 지워졌습니다. 카 메라를 빼앗긴 후 움푹 꺼진 눈으로 멍하니 허공을 응시하던 민우의 모습이 잊히지 않습니다."

윤기훈은 스르르 눈을 감더니 잠시 후 떴다.

"그날 이후 우린 침묵에 익숙해져야 했습니다. 둘이 만나면 그 사건이 떠오르면서 말이 사라져버리니까요. 새 촬영을 가 지 않게 되면서 민우와 만나는 일이 뜸해졌습니다. 간혹 전화 하면 잘 지낸다고만 했습니다. 그러면서 세월을 흘려보냈지 요. 시간이 가면 기억도 어디론가 흘러가겠지, 생각하면서. 2010년 1월이었습니다. 민우와 오랜만에 만나 소주를 마셨습 니다. 이런저런 이야기를 하던 중 참사가 난 그해 가을 제가 증인 신문을 받을 때 민우가 법정에 왔다는 사실을 알게 되었 습니다. 얼굴이 화끈거리더군요. 그날 무척 힘들었습니다. 참 사 현장을 떠올리게 하는 소리나 냄새만 맡아도 괴로운데 그 기억을 헤집고 들어가야 하니…… 게다가 기억들이 제대로 이어지지 않았습니다. 잘 잡히지도 않는 기억의 조각들을 잡 으려고 허우적거리는 꼴이 우습기도 하고 비참하기도 했습니 다. 수치심도 절 괴롭혔습니다. 참사 현장에서 제가 한 행동과 하지 못한 행동에 대한 수치심과, 숨김과 보탬 없이 사실 그대로 말하지 못하는 것에 대한 수치심이었습니다."

수치심에 대해 말할 때 그는 시선을 내려뜨렸다.

"저는 민우 앞에서 증인 신문을 받으면서 겪은 괴로움에 대해 주절주절 이야기했습니다. 자의식의 발로였죠. 민우는 가만히 듣고만 있었습니다. 뭐라고 이야기를 해주었으면 했는데 좀처럼 입을 열지 않았습니다. 그날 법정에서 철거민 측 변호사가 한 이야기도 마음에 걸렸습니다. 경찰이 제출한 채증 요원들의 동영상에서 진실을 밝힐 수 있는 가장 중요한 시간대인 두번째 화재 직전의 영상들이 다 빠져 있다고 말했거든요. 침묵하던 민우가 제 빈 잔에 술을 따르면서 거기에 가봤어? 하고 물었습니다. 거기라니? 제가 되묻자 민우는 의아한 표정으로 나를 보았습니다. 거기를 모르는 제가 이상하다는 듯한 표정이었습니다. 남일당. 민우는 해서는 안 되는 말을 하는 것처럼 낮은 목소리로 재빠르게 말하더군요. 아, 거기. 저는 고개를 끄덕이며 가보지 않았다고 말했습니다. 난 종종 갔어. 거의 속삭이는 듯한 목소리였습니다."

왜? 궁금해서. 무엇이 궁금한데? 흔적이. 무슨 흔적? 시간의 흔적.

"시간의 흔적이라고 말할 때 목소리가 더 낮아졌습니다. 그 말을 하고는 다시 침묵했습니다. 무슨 생각을 하는지 침묵이 꽤 길었습니다. 한참 후 민우는 어제도 갔다고 말했습니다.

표정이 무척 슬퍼 보였습니다."

어제? 응. 어땠어? 철제 담장이 둘러쳐져 있었지만 모퉁이 한쪽이 열려 있었어. 조심조심 들어갔지. 텅 비어 있는 건물 안이 낯설었어. 며칠 전까지만 해도 그곳은 사람들로 가득 차 있었거든. 사람들로 가득 차 있었다구? 그랬어. 어떤 사람들이? 우선 유가족들이 있었어. 분향소가 거기 있었으니까. 신부와 수녀 들이 있었어. 매일 저녁 7시 남일당 앞에서 미사가 열렸으니까. 화가들이 있었어. 벽에 영정을 그리고, 걸개그림 작업을 하고, 추모탑을 만들고, 작품 전시회를 하고, 미술굿을 했으니까. 촛불을 든 사람들과 꽃을 든 사람들도 있었어. 그들은 쉼 없이 찾아왔어. 추모하기 위해, 미사에 참석하기 위해, 화가들의 작품을 보기 위해. 그런데 어젠 아무도 없었어. 장례식을 치렀거든. 장례식을 치른 날, 흩날리는 눈발 속에서 수백 개의 만장이 새의 날개처럼 나부꼈어.

"저는 그분들의 장례식 모습을 텔레비전에서 보았습니다. 355일 만에 치러진 장례식이더군요. 마음이 많이 착잡했습니다. 그날 저녁 전 신자가 아님에도 성당을 찾아 무릎 꿇고 용서를 간구했습니다. 그럴 자격이 저에게 있는지 모르지만……"

장례식이 끝나자 사람들이 일상으로 돌아가 남일당이 처음으로 텅 비게 된 거지. 난 적막한 남일당 속으로 가만히 들어갔어. 3층으로 올라가 검게 그을린 복도를 서성이고 있는데

망치로 쇠붙이를 두드리는 소리가 들려왔어. 여기 도끼 있어 도끼! 바로 여기…… 쾅쾅쾅…… 귀를 막았지만 소용이 없었어. 꿈에서도 듣는 소리니까. 검은 옷들의 아우성과 함께. 그래, 그들은 검은 옷을 입고 있었지. 그들 속에 나도 있었어. 내가 망루 안으로 들어간 것은 카메라가 원했기 때문이야. 난 단지 카메라를 따라 들어갔을 뿐이지. 카메라가 원하는 것을 거부할 힘이 나에겐 없었어. 그 카메라를 잃어버렸어. 카메라를 따라간 나도 잃어버린 거지. 그가 어디로 갔는지 난 몰라. 가끔씩 나타나기는 해. 새의 영혼이 담긴 카메라를 들고.

"저는 민우가 짐작했던 것보다 훨씬 더 많이 괴로워하고 있구나, 생각했습니다. 민우의 입에서 이해할 수 없는 말이 흘러나왔지만 그가 겪은 일을 생각하면 놀랄 이유가 없다고 애써 생각했습니다. 시간이 지나면 좋아지겠지, 스스로 위로하며. 그런데……"

윤기훈은 말을 잇지 못하고 고개를 숙였다.

9

어둠 속으로 멀어져가는 윤기훈의 뒷모습이 쓸쓸했다. 시계를 보니 9시가 조금 넘어 있었다. 택시를 타고 병원 앞에서 내렸다. 병동 편의점에서 산 원두커피를 들고 박민우가 있던 병실로 올라갔다. 협탁 위에 책 두 권이 가지런히 놓여 있었다. 책 곁에 놓인 만년필이 시선에 들어왔다. 오래된 만년필이었다. 협탁 서랍을 조심스레 열었다. 노트를 본 것은 두번째 서랍에서였다.

난 그를 느낀다. 왜냐하면 나의 나니까. 왜 그가 나타나는 걸까? 나의 나라고 해서 꼭 나타나야 할 이유는 없지 않은가. 어쩌면 그를 그리워하기 때문일지도 모른다. 왜 그를 그리워할까? 그가 새의 영혼을 가졌기 때문일 것이다. 그것을 아는 것은 나를 새의 시선으로 보기 때문이다. 새의 시선이 몸에 닿는 것을 느낀다. 그 느낌을 어떻게 표현해야 할지 모르겠다. 그는 오늘도 나타났다. 의사가 나간 지 얼마 지나지 않아서였다. 그의 기척을 느꼈다. 애써 모른 척한 것은 두려움 때문이었다. 그가 반가우면서도 두렵다. 왜 두려운가? 새의 시선으로 나를 보기 때문이다. 새의 시선은 사물과 풍경을 꿰뚫는다. 그 투명한 시선이 나를 환히 드러내니 두려워하지 않을 수 없다.

내 몸이 쇳덩이처럼 무거워져 침대에 시체처럼 누워 있는 것에 대해 의사는 내가 짊어지고 있는 죄의 무게 때문이라고 생각한다. 나는 의사의 생각을 받아들이고 싶다. 하지만 그것은 온전한 진실이 아니다. 내가 문득문득 쇳덩이 같은 죄의 무게에 희열을 느끼는 것은 그 무게가 나로 하여금 비상의 지점으로 올라갈 수 없게 하기 때문이다. 이 희열을 나는 누런 피부 밑에 숨기고 있다.

노트를 서랍에 다시 넣고 불을 끈 후 병실을 나왔다. 마음이 공허하고, 아팠다. 이런 상태로 집에 들어가고 싶지 않았다. 그렇다고 딱히 가고 싶은 데가 있는 것도 아니었다. 병원을 나와 방향도 없이 터벅터벅 걸었다. 거기로 가야 한다는 생각이 불쑥 든 것은 귓속에서 열쇠 돌리는 듯한 소리가 나고 있을 때였다. 피로하거나 기분이 좋지 않을 때 종종 들리는 소리였다. 하지만 '거기'가 구체적인 어떤 장소인지, 내 안의 누군가가 만든 상상의 장소인지 알 수 없었다. 머릿속에 뿌연 안개가 가득 차 있는 것 같았다. 어디론가 쉼 없이 걸었다. 마주 오던 행인과 부딪치기도 했고, 아스팔트 턱에 걸려 넘어질 뻔도 했다. 걸음을 멈춘 곳은 작은 놀이터 앞이었다. 나무가 있었고, 미끄럼틀과 그네가 보였다. 얼마나 걸었는지, 여기가 어딘지, 어떻게 해서 여기까지 왔는지 알 수 없었다. 갑자기 주위가 밝아졌다. 하늘을 올려다보았다. 달이 구름 속에서 막 빠져나오고 나오고 있었다. 광활한 허공 속에서 달은 초현실적인 색채를 띠며 어디론가 천천히 흘러가고 있었다. 달의 뒤쪽, 그 허공의 심연에서 가물거리는 별 하나가 눈에 들어왔다. 박민우의 모습이 떠올랐다. 그는 42층 아파트 옥상에서 나무처럼 서 있었다.

그날은 날씨가 몹시 추웠다. 기상청은 하루 전 한파 특보를 내렸다. 살을 에는 추위였다. 박민우는 완전한 움직임이 주는 기쁨에 취해 추위를 잊고 있었을까, 아니면 누런 피부 밑에 숨겼던 두려움에 싸여 오들오들 떨고 있었을까. 불현듯 나 자신이 낯설어졌다. 내가 누구인지, 혹은 무엇인지, 나라는 존재가 세상과 우주 공간에 어떤 의미가 있는지, 나를 낯설게 바라보는 지금의 나는 낯선 대상이 되어버린 그전의 나와 어떤 관계에 있는지, 강렬한 의문에 사로잡혔다. 검은 물처럼 일렁이는 의문 속에서 나는 내가 무언가를 두려워하고 있음을 어렴풋이 깨달았다. 새의 시선이었다.

사라지는 것들

1

2014년 4월 16일 세월호가 바다 밑으로 가라앉고 있을 때 나는 지리산을 종주하고 있었다. 그날 아침 5시 30분 장터목 대피소를 나와 천왕봉을 향해 걸었다. 종주 마지막 날이었다.

3월 하순 모 문학관에서 전화가 왔다. 4월 18일 작고 문인 추모 행사에 소설가 박영도를 선정했다면서, 그와의 추억을 이야기해달라는 것이었다. 고등학교 선배이면서 문학 선배이 기도 한 그와는 여섯 살 차이지만 안산 예술인아파트에서 이웃으로 6년 가까이 살면서 추억이 많았다.

문학관 관계자와 통화하면서 박 선배가 세상을 떠난 지 어느덧 8년이 흘렀음을 알게 되었다. 내 나이가 그의 마지막 나이보다 더 많다는 사실을 깨달았을 때는 소스라치게 놀랐다.

그동안 그를 잊고 있었다는 자책과 함께 내가 늙었다는 사실이 새삼 피부로 다가왔다. 추모 행사 나흘을 앞두고 행한 지리산 종주는 나의 늙음을 스스로 위무하는 의식이었다. 7시경 천왕봉에서 산하를 내려다보며 지나간 삶의 시간들을 되돌아다보았다. 한없이 길게 구부러지며 어디론가 사라져가는 시간의 그림자 속에 더러 아름다운 색들이 섞여 있음을 애써 믿고 싶었다.

세월호 침몰 소식을 처음 들은 것은 천왕봉을 내려와 치밭목 대피소에서 쉬고 있을 때였다. 10시 조금 못 되어서였다. 라디오를 듣고 있던 어떤 등산객이 알려주었다. 제주도 수학여행 가는 안산 단원고 학생들이 그 여객선에 타고 있다는 말에 깜짝 놀랐다. 예술인아파트에서 자동차로 10분 거리에 있는 학교였다. 단원은 조선 시대의 뛰어난 화가 김홍도의 호인데, 안산과 연고가 있는 그를 기려 안산시는 단원미술관을 만들었고, 단원미술제를 개최하고 있다.

안산으로 이사한 것은 1986년 초봄이었다. 예술인복지재단이 추진하여 건설한 예술인아파트에는 작가, 배우, 가수, 화가, 영화감독 등 다양한 예술인들이 살고 있었다. 나보다 먼저 입주한 박 선배는 나를 무척 반겼다. 그는 술꾼이었다. 술이 가장 맛있을 때는 소설을 흡족히 쓴 날이라고 그는 말했다.

"글을 쓰면서 문득문득 세계의 핵심으로 뛰어든 나를 깨달게 돼. 고요했던 세계가, 너무나 고요해 죽은 듯이 보였던 세계가 싱싱한 물고기처럼 살아 움직여. 그 세계를 향해 그물을 던지면, 그물은 작살처럼 빠르게 날아가 펄떡이는 물고기를 정확하게 포획해. 그 순간순간들의 황홀에 취해 비틀거리며 작업실을 나오면 조금 전까지 새롭게 조립된 사물과 언어의 생명들이 너무나 힘차고 싱싱해서 금방이라도 머릿속을 박차고 나와 하늘로 치닫지나 않을까 조마조마해져. 아, 그뿐 아니야! 그들이 내지르는 아우성으로 심장이 달근거려 아무 데나 쓰러지고 싶은 지경이 돼. 그러면 소금에 푸성귀 잠재우듯 그것들을 한숨 푹 절여놓아야 하지."

그가 술집으로 달려가는 이유는 그 때문이다. 그런 황홀이 없는 날이면 자신은 죽은 인간이거나 쫓기는 도망자가 된다고 했다. 그런 날에도 술집으로 달려가야 한다. 도망갈 데라곤 거기밖에 없으니까.

우리가 안산을 떠나 서울 속으로 흩어진 것은 1990년대 초였다. 그가 먼저 안산을 떠났다. 서울의 시간은 안개와 들판과 협궤 열차와 포구와 갯벌을 품고 있는 안산의 시간과는 너무 달랐다. 서울에서는 안산에서처럼 만나는 것이 불가능했다. 서울은 넓고 할 일이 많았다. 우리는 드문드문 만났다. 모임이나 술자리에서 우연히 만나기도 했는데, 안산에서는 느끼지 못했던 어떤 서걱거림과 미묘한 낯섦에 당황하곤 했다. 문학이든 세상이든 1990년대의 그 수상쩍고 불길한 변화 속에서 우리는 저마다 마음이 갈라지면서 소리 없이 나이를 먹어갔다. 세월은 왜 그에게 유달리 가혹했을까.

박 선배가 위암 수술을 받은 것은 2003년 4월이었다. 수술 결과가 좋았다고 들었다. 의사는 그에게 술과 담배를 끊고 섭생을 잘하면 재발하지 않을 것이라고 했다. 하지만 그는 술을 끊지 못했다. 술을 왜 못 끊느냐는 질책 어린 나의 물음에 그놈을 견디려면 술이 필요하다고 대답했다. 그놈이 누구냐고 물었더니 소설을 제대로 쓰지 못하는 놈이라고 나직이 말했다.

박 선배가 세상을 떠난 것은 59세 되던 2006년 8월이었다. 자신의 흉한 모습을 보여주기 싫다며 누구도 만나려 하지 않던 그가 숨을 거두기 나흘 전 부인을 통해 몇몇 사람들을 불렀다. 당시 원주에 머물고 있던 나는 그가 입원한 일산의 병원으로 달려갔다. 종마처럼 튼튼했던 그의 몸이 참혹하게 말라 있었다. 나를 쳐다보는 그의 커다란 눈에 무엇이 담겨 있는지 알 수가 없었다. 작별 인사를 어떻게 해야 할지 몰랐던 나는 그의 손등을 가만히 쓰다듬었다. 영원히 떠날 그에 대한 애틋함의 표현이 그런 서툰 방식으로 나타난 것이었다. 조금 후 그는 아프다고 힘겹게 말했다. 놀란 나는 얼른 손을 뗐다. 어린아이 살결을 쓰다듬듯 조심스럽게 쓰다듬었음에도 그는 통증을 느꼈다. 육신이 통증에 무방비 상태로 노출되어 있었던 것이다. 그가 병실을 찾은 기자에게 "소설이 암보다 더 고통스러웠다"라고 말했을 때 가슴이 먹먹했다.

2

지리산에서 내려와 서울행 버스를 탄 것은 오후 4시 넘어
서였다. 혼곤한 잠결 속에서 지리산의 영상이 실루엣으로 나
타났다 사라져갔다. 실루엣과 실루엣 사이로 박 선배의 얼굴
이 어렴풋이 보였다. 슬픈 얼굴이었다. 슬픔이 만져지는 듯했
다. 그가 뭐라고 말하는 것 같았으나 잘 들리지 않았다. 가만
히 기다렸다.

"기차를 타지 않으면 타라스콩에 갈 수 없듯이 죽지 않으면
저 별에 갈 수 없다네."

슬픈 얼굴에서 목소리가 희미하게 들려왔다. 타라스콩……
별……나는 아주 오래된 듯한 그 말을 가만히 되뇌었다. 이
상했다. 그 말을 한 이는 박 선배가 아니었다. 형조였다. 슬
픈 얼굴을 다시 보았다. 형조가 맞았다. 형조를 박 선배로 착
각했는지, 그사이 박 선배가 사라지고 형조가 나타났는지,
박 선배가 형조로 바뀌었는지 알 수가 없었다. 형조는 나지막
한 목소리로 노래를 부르듯 그 말을 하고 있었다. 가슴이 설
렜다. 안산 사리포구 가게의 노천 탁자에 앉아 소주를 마시고
있을 때였다. 눈앞은 잿빛 갯벌이었다. 형조가 고흐의 그 말
을 했을 때 고적한 벌판을 느리게 지나가는 협궤 열차의 모습
이 아련히 떠올랐다.

"타라스콩이 어디지?"

나는 타라스콩으로 향하는 협궤 열차를 상상하며 물었다.

"화가가 걸어가는 곳."

"화가가 걸어가는 곳이라니?"

내가 멀뚱히 형조를 바라보자 그는 빙긋 웃으며 탁자에 둔
책을 펼치더니 도판 하나를 나에게 보여주었다. 밀짚모자를
쓴 남루한 남자가 화구를 짊어지고 시골길을 걸어가는 그림
이었다. 자신의 그림자를 질질 끌고 있는 듯한 남자의 모습이
쓸쓸했다.

"이거…… 고흐의 그림 같은데."

나의 말에 형조는 미소를 지었다.

"맞아. 제목도 맞춰봐."

나는 고개를 저었다.

"타라스콩으로 가는 길 위의 화가."

형조는 다시 나지막한 목소리로 노래를 부르듯 말했다.

"그러니까 타라스콩은 저쪽에 있지. 갯벌 저 너머……"

형조는 몽롱한 눈빛으로 갯벌을 보며 혼잣말하듯 중얼거렸
다. 그때가 1986년 가을이었으니 내가 살아온 생의 반 가까이
흘러간 것이었다. 그사이 많은 일이 일어났는데, 그중의 하나
가 사리포구의 사라짐이었다.

사리포구가 사라질 줄은 꿈에도 몰랐다. 호수가 사라진 것
은 본 적이 있다. 예술인아파트 뒤쪽 들판에 작은 호수가 있
었다. 그곳을 자주 찾은 것은 황량한 들판 가운데 있는 물의
풍경이 낯설었기 때문이다. 아름다운 낯섦이었다. 어떤 일로

보름 동안 집을 떠나 있었는데 돌아와보니 호수가 없었다. 그 자리에 벌건 흙이 쌓여 들판의 일부가 되어 있었다. 거기에 아파트가 세워진다고 했다.

사리포구가 사라진 것은 시화방조제 완공과 함께 고잔 신도시가 형성되면서였다. 포구는 아파트가 덮어버렸다. 시화방조제는 1994년에 완공되었고, 고잔 신도시는 1998년에 생겨났다. 서울에서 고단한 삶을 이어가는 동안 사리포구가 사라진 것이다. 사리포구만이 아니었다. 협궤 열차도, 철로변 너머 펼쳐지던 들판도, 드넓은 갯벌도 다 사라졌다.

침몰된 세월호의 모습을 텔레비전을 통해 처음 본 것은 고속도로 휴게소에서였다. 저녁 6시쯤이었다. 보도되는 내용들이 믿기지 않았다. 치밭목 대피소에서 사고 소식을 들었을 때 침몰 지점이 진도 팽목항에서 멀지 않은 곳이라 구조되리라 생각했다. 하산하는 동안 누군가로부터 승객 전원이 구조되었다는 말까지 들었다. 그런데 침몰한 배 안에 3백 명이 넘는 승객이 타고 있다고 했다. 단원고 학생만 250명이 넘는다는 말에 가슴이 내려앉았다. 하지만 나는 까맣고 모르고 있었다. 그 학생들 가운데 형조의 딸이 있다는 사실을.

3

형조를 처음 만난 것은 1986년 5월이었다. 집을 나와 사리포구를 향해 어슬렁어슬렁 걷고 있는데 어디선가 기타 소리가 들려왔다. 봄의 적막 속에서 울려 퍼지는 기타 선율이 감미로웠다. 걸음을 멈추고 귀를 기울이다 소리가 나는 곳으로 발걸음을 옮겼다. 소리는 언덕 위 오래된 건물에서 흘러나오고 있었다. 나중에 알았지만 천주교 공소였다가 버려진, 두 평도 채 안 되는 작은 성당이었다. 기타를 연주한 이는 그곳에 화실을 차린 형조였다.

성당 문은 열려 있었다. 조심스럽게 안으로 들어서자 물감 냄새가 훅 끼쳤다. 형조는 창과 떨어진 어둑한 곳에서 낯선 사람이 들어온 줄 모른 채 기타 연주에 빠져 있었다. 고개를 숙이고 있어 얼굴이 제대로 보이지 않았다. 헝클어진 머리가 몹시 길었다. 살짝 나가야 하는 게 아닌가, 생각하면서도 발길을 돌리지 못하고 있는데 그가 고개를 들었다. 나는 어색하게 웃으며 허락도 없이 들어온 이유를 어눌한 목소리로 설명했다.

"그러니까 선생은……"

그는 커다란 눈을 껌벅이며 말했다.

"입장권을 사지 않고 들어온 관객이네요."

어이없기도 하고 우습기도 한 그의 말에 어색한 감정이 스르르 사라졌다.

"매표소가 없어서……"

나의 말에 그의 눈이 반짝였다.

"흠, 그렇군요."

그는 고개를 끄덕이며 생각에 잠겼다.

"입장권을 지금 팔면 안 될까요?"

웃음이 절로 나왔다.

"파세요."

나는 미소를 지으며 말했다.

"입장권은 소주 다섯 병입니다."

"소주는 안 갖고 왔는데……"

그는 빙긋 웃었다.

"가게가 멀지 않은 곳에 있어요."

두 병을 보태 소주 일곱 병을 들고 성당에 들어왔을 때 그는 안주를 만들고 있었다. 멸치 육수에 양파와 다진 마늘을 넣고 끓인 감잣국이었다. 소주는 달았고 감잣국은 맛있었다. 취기가 오르자 우리는 나이가 비슷하니 서로 말을 놓기로 했다. 처음에는 어색했으나 어느덧 오래된 친구처럼 이야기하고 있었다.

"이 소주를 보고 있으면……"

형조는 잔에 가득 찬 소주를 물끄러미 내려다보며 말했다.

"마술을 하고 싶어져."

"무슨 마술?"

"압생트로 변화시키는 마술."

"고흐가 되고 싶어?"

"고흐는 보이는 것 너머를 보려고 했어. 일상의 시선으로는 보이지 않는 것을 보려고 했던 거지. 보이지 않는 것을 보려면 어떻게 해야 돼? 보이는 것을 뚫어야 하겠지. 보려고 하는 것을 막고 있으니까. 사물과 풍경, 인간과 역사를 뚫는다는 것이 나에겐 아득해."

그의 눈빛도 아득해지고 있었다.

"고흐가 자살한 것은 필연이었을까?"

"고흐는 테오에게 쓴 편지에서 막대기와 이젤과 캔버스와 그 밖의 다른 그림 도구들을 잔뜩 짊어진 초라하고 더러운 모습이 자신이라고 했어. 그 초라하고 더러운 모습의 사내는 어떤 목적지를 향해 쉼 없이 가고 있었지. 그러다가 불현듯 깨닫곤 했어. 목적지가 실제로는 존재하지 않는다는 사실을. 그렇다면 걸음을 멈추어야겠지. 하지만 사내는 멈출 수 없었어. 머물 곳이 없었으니……"

형조가 사리포구 언덕의 작은 성당을 발견한 것은 1985년 10월이었다. 당시 그는 안양의 낡은 연립주택 지하에 화실을 꾸리고 살았는데, 주인에게서 나가달라는 독촉을 받고 있었다. 월세가 자주 밀리는 데다 방을 화실로 사용하는 것을 못마땅해했기 때문이다.

그날 형조는 어두컴컴한 지하 방을 나와 거리를 터벅터벅 걸었다. 하늘에 구름 한 점 없는 날이었다. 아무리 궁리해도 갈 데가 없었다. 3년 동안 광부 생활로 모은 돈이 바닥을 보이고 있었다.

정류소를 지나다 버스 창에 사리포구라는 글자를 우연히
본 그는 훌쩍 올라탔다. 안양을 벗어난 버스는 흙길을 굽이굽
이 돌더니 갯내가 물씬 나는 작은 어촌에 멈추었다. 포구는
지붕이 낮고 남루한 집들이 다닥다닥 붙어 있는 길 끝에 있었
다. 가게에서 소주와 마른 새우를 한 움큼 사서 포구가 내려
다보이는 언덕에 올랐다. 처음에는 성당을 보지 못했다. 소주
두 병을 마시고 몽롱한 취기 속에서 언덕을 거닐다 성당을 보
았다. 건물 안을 살피던 중 어떤 생각이 섬광처럼 떠올랐다.
가슴이 두근거리기 시작했다. 안양 지하의 화실이 포구가 환
히 내려다보이는 언덕 위 화실로 마술처럼 변신하고 있었던
것이다.

소주 다섯 병을 비웠을 때 바깥은 캄캄해졌다. 두 병은 남
겨놓았다. 그동안 형조와 많은 이야기를 했다. 처음 만난 이
와 그토록 많이 이야기했다는 사실이 믿기지 않았다. 우리는
휘청휘청 화실을 나왔다. 하늘에는 별들이 영롱하게 빛나고
있었다. 나무처럼 서서 별자리를 찾던 형조는 다시 화실로 들
어가더니 기타를 들고 나왔다. 우리는 사리포구가 내려다보
이는 언덕 풀밭에 앉았다. 포구에서 드문드문 새어 나오는 희
미한 불빛이 별빛처럼 아련했다. 형조의 기타 소리는 희미한
불빛과 뒤섞이며 어디론가 흘러갔다. 그날의 풍경이 청명한
꿈처럼 느껴지는 것은 사리포구과 함께 형조가 사라졌기 때

문일 것이다.

4

세월호에 형조의 딸이 탄 사실을 안 것은 박 선배를 추모하
는 행사장에서였다. 그의 문학 이력 소개와 작품 세계에 대
한 문학평론가의 강연에 이어 어느덧 청년이 된 박 선배 아들
과 함께 그를 회상하는 시간을 가졌다. 그의 아들은 조심스러
우면서도 슬프게 아버지와 함께한 시간을 더듬었다. 나도 그
랬다. 행사가 끝난 후 오랜만에 만난 박 선배의 부인과 담소
하고 있는데 나이가 들어 보이는 여인이 다가왔다. 그녀는 다
소곳이 인사를 하면서 옛날 형조의 성당 작업실에서 나와 박
선배를 만난 적이 있다고 말했다. 기억이 나지 않아 어색하게
웃자 그녀는 친구인 차명아를 따라 거기에 갔었다고 했다.

차명아는 형조의 연인이었다. 그녀를 처음 본 것은 형조를
만난 지 한 달이 조금 못 되어서였다. 하늘이 유난히 높아 보
이는 6월이었다. 사리포구 언덕을 오르다 걸음을 멈추었다.
젊은 여자가 성당 앞 계단에 앉아 있었다. 화장기 없는 얼굴
이 해맑아 보였고, 수수한 옷차림인데도 자태가 빛났다. 형조
를 만나러 왔는지, 산보객인지 알 수 없었다. 성당 문은 닫혀
있었다. 물어볼까 생각하면서도 머뭇거리고 있었는데 그녀가
먼저 말을 걸었다.

"저…… 혹시 형조 씨 친구분이세요?"

그녀의 말에 반색하며 내 이름을 말하자 그녀는 환히 웃었다.

"형조 씨한테 말씀 많이 들었어요. 반가워요. 전 차명아예요. 지금 형조 씨가 없네요."

형조의 작업실에는 전화가 없어 그를 만나려면 무턱대고 와야 했다. 우리는 10여 분쯤 언덕에서 이런저런 이야기를 하며 형조를 기다리다 사리포구로 내려갔다. 그가 언제 올지 모르는데 처음 본 여자와 막연히 기다린다는 게 어색하고 불편했다. 내가 사리포구를 구경시켜드리겠다고 하자 그녀는 즐겁게 받아들였다. 마침 김장용 젓새우 철이라 포구는 사람들로 북적였다. 새우를 파는 사람, 새우젓용 소금을 파는 사람, 새우를 담을 용기를 가져오지 않은 이들을 상대로 비닐 비료 부대를 파는 사람, 구멍가게 아주머니, 튀김 파는 아저씨, 바다에서 잡은 해산물을 내리는 뱃사람…… 그런 풍경들을 그녀는 생기 어린 표정으로 보았다. 한 시간 후 언덕으로 올라갔는데 성당 문이 열려 있었다. 우리가 함께 들어서자 형조의 눈이 휘둥그레졌다.

나는 차명아의 친구라는 여자를 유심히 보았다. 이름이 김윤희라고 했다. 기억이 날 듯 말 듯했다.

"그때 박 선생님은 형조 씨 그림에 대해 많은 이야기를 하셨어요. 광부를 그린 그림 말이에요."

"아, 그 그림!"

형조의 광부 그림이 떠오르면서 닫혀 있던 기억의 문이 스르르 열렸다. 형조의 광부 그림을 본 것은 박 선배 때문이었다. 9월이었다. 날씨가 흐려 금방이라도 비가 내릴 것 같았다. 박 선배와 함께 사리포구에서 대낮부터 소주를 마셨다. 그의 얼굴이 어두웠다.

"난 목수 재질이 아닌 것 같아. 온몸이 썩어 들어가는 느낌이야."

박 선배는 소주를 입안에 털어 넣으며 음울한 목소리로 말했다. 면도를 하지 않아 수염이 얼굴을 꺼멓게 덮고 있었다. 그는 소설 쓰는 일을 집 짓는 일로 비유하곤 했다.

"온몸이 썩어 들어가면 무얼 할꼬……"

박 선배는 소주잔을 탁 놓으며 혼잣말하듯 중얼거렸다.

"내 몸 안에 뭐가 들어 있는 줄 알아? 시체 냄새를 풍기는 어머니, 객사한 큰형과 산송장으로 버려진 작은형의 시커먼 몸뚱이가 들어 있어. 그것들을 떼어내려고 온갖 지랄 발광을 했지. 그 지랄 발광의 결과가 뭐였게? 문학이었어. 소설은 내가 좋아서 한 게 아니야. 살기 위해서 했어. 아무 쓰레기통에다 기꺼이 버릴 수 있었던 목숨이었으니까. 문학만은 나를 업신여기지 않을 것이고, 학대받고 잠들지 못하는 내 영혼을 쓰다듬어 잠재워줄 것이라 믿었어. 그런데, 오 마이 갓! 언젠가부터 그들의 몸뚱이들을 내가 팔아먹고 있더라고. 그들과 악연으로 뒤엉켜 지옥의 향연을 펼쳤던 내 삶을, 그 상처를 문학이란 이름으로 팔아먹고 있었어. 첩첩산중에서 땅을 갈고 짐승을 키우며 살았어야 했는데……"

나는 듣고만 있었다. 내가 뭐라고 한들 그를 위로할 수 없음을, 그런 자학의 말 자체가 그에게 위로의 역할을 하고 있음을 알고 있었던 것이다.

박 선배가 형조의 작업실을 보고 싶다고 한 것은 에곤 실레를 이야기하면서였다. 화가를 꿈꾸었던 그는 가난 때문에 꿈을 접고 펜과 종이만 있으면 할 수 있는 문학 속으로 떠밀려 갔다. 박 선배가 가장 좋아한 화가는 에곤 실레였다. 그의 자화상에는 우주가 들어 있다고 했다. 간혹 술자리에서 흥이 나면 박 선배는 누군가의 얼굴을 그리곤 했는데, 드로잉 솜씨가 예사롭지 않았다. 그런 그가 형조의 작업실을 보고 싶어 하는 것은 전혀 이상하지 않았지만 마음이 불편했다. 형조가 좋아하지 않을 것 같았다.

언젠가 박 선배와의 술자리에 형조를 데려간 적이 있었는데 너무 수줍어하는 바람에 분위기가 어색해졌다. 나중에 알았지만 형조는 낯선 사람 앞에서 낯을 몹시 가렸다. 나와의 첫 만남에서 그가 보여준 유쾌한 모습은 지극히 예외였다. 당시 나는 그가 연주하는 기타 선율의 매혹에 끌려 그의 작업실로 들어온 것이었으니 그런 예외가 발생했을 것이다.

박 선배가 하도 조르는 바람에 언덕으로 올라가 성당 문을 두드렸지만 걱정한 대로 형조의 태도가 어색했다. 하지만 박 선배가 그림 이야기를 하면서부터 분위기가 달라졌다. 뭉크의 그림으로 시작된 이야기가 에곤 실레와 고흐로 이어지면서 딱딱했던 형조의 얼굴이 풀어지기 시작했다. 아마도 박 선배의 가슴에서 진심으로 우러나오는 열정적인 목소리와 진지한 표정 때문이었을 것이다. 그림 이야기가 멈춘 것은 형조가 손님을 마중하러 나가야 한다고 말하면서였다.

"누가 와?"

"명아. 친구와 함께."

"우린 가야겠네."

"글쎄……"

형조는 말끝을 흐리며 나의 표정을 살폈다.

"제가 품고 있는 소망 가운데 하나가 뭔지 아십니까?"

박 선배가 형조를 보며 물었다.

"글쎄요……"

"화가의 연인과 댄스를 추는 겁니다."

박 선배는 간혹 예상을 뛰어넘는 언행으로 주위 사람들을 놀라게 하곤 했다. 그를 가만히 보고 있던 형조가 빙그레 웃었다.

"춤을 추시게 되면 제가 춤곡을 연주해드리죠."

형조의 말에 박 선배는 감사하다는 말과 함께 익살스러운 몸짓으로 인사했다. 형조는 장도 보아야 하니 조금 늦을지 모른다고 하면서 나갔다. 박 선배는 저 친구 괜찮네, 하면서 즐거운 표정으로 실내를 살피기 시작했다. 박 선배가 나를 부른 것은 소파에서 화집을 뒤적이고 있을 때였다. 형조의 작업실 안쪽에 그림을 넣어두는 작은 방이 있었는데 뜻밖에도 박 선배가 그 안에서 캔버스를 들여다보고 있었다.

"이 그림…… 뭔가 있어. 아주 강렬해."

광부를 그린 그림을 가리키며 박 선배가 속삭이듯 말했다. 광부의 얼굴은 석탄 가루의 검은빛에 거의 묻혀 있었는데, 검은빛 사이로 뻥 뚫린 구멍처럼 보이는 두 눈이 허공에 떠 있는 한 마리 새를 보고 있었다.

"저 새는 카나리아겠군."

중얼거리는 듯한 박 선배의 말에 고개를 갸웃했다. 윤곽이 너무 희미해 유심히 보지 않으면 새인지 알 수 없을 정도인데 무슨 까닭으로 카나리아라고 하는지 이해가 되지 않았다.

"갱도에 환기 장치가 제대로 되어 있지 않던 시절에 카나리아는 공기 측정기 역할을 했어. 메탄이나 일산화탄소에 가장 민감한 새가 카나리아거든."

"아, 그렇군요. 하지만 저 새는……"

나는 눈을 가느스름하게 뜨며 새를 응시했다.

"날개를 펼치고는 있으나 나는 것처럼 느껴지지 않아요."

그는 고개를 끄덕였다.

"새를 둘러싸고 있는 푸르스름한 빛에서 죽음의 기운이 느껴져. 그래서인지 박제처럼 보이기도 해. 생명이 다 빠져나간."

"비관적인 그림이네요."

"비관의 밀도가 굉장해. 표현의 밀도가 굉장하다는 거지. 새가 저편으로 멀어져가는 감각이 생생하게 느껴져. 광부의 눈에 서린 절망의 표현도 기가 막혀. 에너지가 대단해. 당신이 저 사람을 왜 좋아하는지 알겠어."

"그런데 우리 지금 작품을 훔쳐보는 거 아니에요?"

"훔쳐보는 재미가 얼마나 쏠쏠한데."

"형조가 싫어할 거예요. 그는 작품을 잘 안 보여줘요. 이 방의 문은 항상 닫혀 있었어요."

"그러니 훔쳐서라도 봐야지."

"선배가 문 열었죠?"

"응."

"그만 나가요. 지금이라도 불쑥 들어오면 어떡해요."

"알았어, 이 샌님아. 그런데 왜 광부를 그렸을까?"

"형조는 3년 동안 광부 생활을 했어요."

"리얼리스트네."

"서른 살 이후로는 어떤 밥벌이도 하지 않고 그림만 그리기 위해 스물일곱 살 때 탄광촌에 들어갔다고 하더군요."

"흠, 그래……"

그는 뭐라고 말할 듯하다가 침묵하면서 시선을 그림에 고정시켰다. 그림 속으로 들어갈 듯한 표정이었다. 형조가 차명아, 김윤희와 함께 들어온 것은 우리가 캔버스에 천을 다시 씌우고 작은 방에서 나온 지 5분도 채 되지 않아서였다. 두 여자가 차린 저녁 식탁은 푸짐했다. 초등학교 교사인 그녀들은 술을 많이 마시지는 않았지만 즐겼다. 박 선배가 차명아를 미스 스윙으로 부른 것은 술을 꽤 마신 후였다.

"제가 왜 미스 스윙이에요?"

차명아가 궁금한 표정으로 묻자 그는 씩 웃었다.

"제가 그대와 함께 스윙 댄스를 추어야 하니까요."

"스윙 댄스라면……"

"스윙 재즈에 맞춰 추는 유쾌한 춤이지요."

"그 춤을 왜 함께 추어야 하죠?"

"형조 씨가 스윙 재즈를 연주해주기로 했으니까요."

"정말이에요?"

차명아의 물음에 형조는 미소와 함께 고개를 끄덕였다.

"그럼 추어야겠네요. 하지만 지금은 안 돼요. 스윙 댄스를 할 줄 모르거든요. 음, 스윙 댄스를 배워야겠네. 기다리세요. 제 몸 안으로 스윙 댄스가 자연스레 스며들어 오면 연락드릴게요."

"그때가 언제쯤일까요?"

"모르죠. 열심히 배워볼게요."

"기다리겠습니다. 그런데 미스 스윙……"

박 선배는 커다란 눈으로 그녀를 보았다.

"전 미스 스윙을 앞으로 더 좋아할 것 같아요. 형조 씨 그림에 반했거든요."

그의 말에 나는 깜짝 놀랐다.

"소설이든 그림이든 좋은 작품을 보면 전 질투심을 느껴요. 그런데 오늘 형조 씨 그림 앞에서 맹렬한 질투심을 느꼈습니다. 형조 씨가 없을 때 훔쳐봤어요. 이 친구가 형조 씨를 하도 좋아하길래 어떤 사람인지 무척 궁금했거든요. 난 얼굴만으로는 그 사람 모르겠데요. 거죽을 보고 안다는 것도 웃기죠. 작품은 다르죠. 거죽이 아니니까. 그런데 형조 씨가 작품을 잘 안 보여준다고 하니 훔쳐서라도 봐야죠."

형조는 침묵했다. 표정의 변화가 거의 없었다.

"광부의 얼굴이 캔버스에서 금방이라도 튀어나올 것처럼 리얼한데도 어느 순간 유령의 얼굴 같다는 생각이 들었어요. 처음엔 이게 뭔가 싶었는데…… 인물의 얼굴이 삶과 죽음을 동시에 품고 있기 때문이 아닌가, 생각했어요. 우리의 삶이 그렇지요. 산다는 것은 죽음으로 다가가는 행위이니까요. 지금 우리 문학이 리얼리즘의 늪에서 허우적거리고 있는데, 형조 씨 그림을 보면서 이게 진정한 리얼리즘이 아닌가 하는 생각도 했어요. 삶을 제대로 표현하려면 삶을 꿰뚫고 삶의 저쪽까지 보아야 하니까요. 그런 생각을 하다 보니 제 소설의 기형적 모습이 떠오르기도 했고…… 치열하게 격투하여 끝까지 가야 하는데…… 생명이 깎인다는 느낌만 들고…… 내 몸이 교활한 건지…… 하긴 상처까지 팔아먹었으니……"

그날 밤 박 선배는 취기 속에서 홀로 춤을 추고 노래를 불렀다. 그의 춤과 노래는 슬프고 애잔했다. 형조는 우리를 배웅하면서 박 선배를 다정히 껴안았다.

5

김윤희가 세월호 이야기를 한 것은 내가 차명아의 안부를 물었을 때였다. 오랫동안 그녀를 보지 못했다. 거의 잊고 있었다고 해야 할 것이다. 차명아의 딸이 단원고 2학년이며 지금 세월호에 타고 있다는 말만으로 큰 충격을 받았지만, 그 아이의 아버지가 형조라는 말에는 벼락을 맞은 듯한 느낌이었다. 나는 형조에게 딸이 있는지조차 몰랐다. 형조가 세상을 떠났을 때 차명아가 임신 중이라는 사실을 몰랐던 것이다.

형조의 이른 죽음은 그의 광부 그림과 깊은 연관이 있다. 그 그림이 민중 화가들의 작품전에 전시된 것은 1986년 10월이었다. 형조는 민중 화가들과 관계를 맺거나 함께 활동한 적이 없었다. 그럼에도 그들의 작품전에 참여한 것은 형조의 광부 그림을 본 어떤 미술평론가가 적극적으로 권유했기 때문이다. 형조가 그의 권유를 받아들인 것은 자신의 그림을 높이 평가하는 이의 권유를 뿌리치기 힘들었을 뿐 아니라, 자신의 작품을 알릴 수 있는 좋은 기회로 생각했기 때문이다.

형조가 정보기관에 연행된 것은 전시회가 끝난 지 열흘이 채 못 된 11월 중순이었다. 사흘 후 풀려났는데, 주변 사람들은 그 사실을 알지 못했다. 나는 물론이거니와 차명아도 몰랐다. 그녀가 형조 작업실을 찾은 것은 형조가 풀려난 지 이틀 후였다.

문을 두드려도 기척이 없어 들어가보니 형조가 소파에 앉아 있었다. 그는 희미하게 미소 지었는데, 안색이 깜짝 놀랄 정도로 창백했다. 어디가 아프냐는 그녀의 물음에 그는 몸이 쇠붙이에 의해 함부로 파헤쳐진 듯한 느낌이라고 힘겨운 목소리로 대답했다. 평소의 목소리와 너무 달라 그가 아닌 것처럼 느껴졌다. 왜 몸이 그렇게 아프냐고 물었더니 문이 사라졌기 때문이라고 했다. 무슨 말인지 모르겠다고 하자 거기에는 문이 없었다고 알 수 없는 말을 되풀이했다. 그는 난감해하는 차명아를 멍하니 바라보다 상의를 벗기 시작했다. 스웨터와 셔츠에 이어 내의를 벗는 순간 그녀는 목 안 깊숙한 곳에서 터져 나오는 비명을 막으려고 두 손으로 입을 막았다. 상반신 전체가 피멍으로 덮여 있었다. 그때 형조를 포함해 다섯 명이 연행되었는데, 형조가 가장 혹독한 고문을 당했다. 정보기관의 대령이 형조의 그림을 손가락질하며 "이 새끼, 사북 빨갱이 광부를 그렸네" 하고 씹어뱉듯이 말했다고 나중에 들었다.

그날 이후 형조는 늘 술에 취해 있었다. 고통을 술로 잊으려는 듯했다. 그림도 그리지 않았다. 그림과 연관된 것은 손조차 대지 않았다. 낭인처럼 떠돌았다. 형조가 말하기를, 정처 없이 떠돌다 머물고 싶은 곳이 있으면 걸음을 멈춘다고 했다. 그곳은 산골의 폐가이기도 했고, 변두리 항구이기도 했고, 염전이기도 했고, 수도원의 외딴 방이기도 했다.

그런 형조를 향한 차명아의 사랑은 놀라웠다. 근무 학교를 서울에서 안산으로 옮긴 후 사리포구와 가까운 곳으로 이사했다. 집안의 반대가 심했으나 조금도 흔들리지 않았다. 형조가 없어도 성당 작업실 청소를 소홀히 하지 않았다. 오랫동안 떠돌다 지친 모습으로 돌아오는 형조를 따뜻이 맞았다. 내 눈에는 객지를 떠돌다 집에 들른 아들을 맞는 어머니처럼 비쳤다. 형조가 낭인의 모습을 버리고 그림을 그리기 시작한 데에는 차명아의 역할이 컸다. 그들이 결혼한 것은 박 선배가 서울로 이사하기 한 달 전인 1991년 10월이었다. 박 선배는 피로연장에 들어온 차명아에게 "스윙 댄스는 언제 출 거요?" 하고 물었는데, 그녀는 "지금 아주 잘 출 것 같은데 신랑이 스윙 재즈를 연주할 준비가 되어 있는지 모르겠다"라고 하면서 화사하게 웃었다. 그들의 보금자리는 차명아의 집이었지만 형조의 작업실은 여전히 사리포구 언덕 성당이었다. 이듬해 봄 나는 서울로 이사했다.

1992년 10월, 형조의 첫 개인 전시회가 서울 인사동 갤러리에서 열렸다. 형조의 광부 그림을 높이 평가한 미술평론가가 주선한 전시회였다. 당시 형조는 유망한 신진 작가로 알려져 있었다. 축하객들 앞에서 형조는 무척 수줍어했다. 그전의 모습을 보는 듯했다.

전시 작품 가운데 광부 그림은 보이지 않았다. 풍경화가 의외로 많았는데, 어둡고 아련했다. 선창가와 포구, 염전과 수도원 풍경 등은 그가 낭인처럼 떠돌 때 머물던 곳이 아닌가, 했다. 그래서인지 검은 진흙 속에 잠겨 있는 듯한 풍경의 가장자리에 보일 듯 말 듯 희미하게 어른거리는, 눈여겨보지 않으면 지나치기 쉬운 사람의 그림자가 형조의 흔적처럼 보였다. 풍경과 유리되어 풍경 속으로 스며들지 못하는 그 그림자는 금방이라도 사라질 것 같았다. 박 선배는 형조의 그림에 뭐라고 표현하기 힘든 야릇한 슬픔이 서려 있다고 하면서, 가슴에 죽음을 품고 있는 사람이 그린 것 같은 느낌이 든다고 했다. 박 선배가 어떤 느낌으로 그런 말을 했는지 알 수 없지만 결과적으로 앞날을 예시한 말이 되어버렸다.

형조가 간경화증으로 입원한 것은 전시회를 마친 지 한 달이 채 안 되어서였다. 검사 결과는 좋지 않았다. 의사는 앞으로 조심하지 않으면 큰일 난다고 했다. 술을 끊은 형조는 차명아의 정성 어린 보살핌 속에서 병원 치료를 성실히 받았다. 1993년 봄 박 선배와 함께 형조를 보러 안산 그의 집을 찾았을 때 얼굴이 생각보다 훨씬 좋아 보였다. 형조는 매일 출근하듯이 사리포구 언덕 작업실로 간다고 했다. 집에서는 그림을 그릴 수 있는 마음의 상태를 견지하기가 힘들다는 것이었다. 우리를 위해 차린 술상이긴 했으나 형조는 술잔에 입도 대지 않았다. 서울로 돌아오는 차 속에서 박 선배는 "그 친구, 의지가 대단해!" 하며 감탄하더니 "술을 안 먹으면 그림을 어떻게 그리누……" 하고 중얼거리듯 말했다.

형조가 술을 다시 마시기 시작한 것은 성당 건물이 철거되면서부터였다. 1994년 시화방조제가 완공되자 수자원개발공사가 사리포구를 포함하여 고잔 들판 일대에 신도시를 건설하기로 한 것이었다. 사리포구 언덕은 순식간에 폐허가 되었다. 그 폐허가 어떤 심리의 회로를 거쳐 8년 전 고문기술자에 의해 파헤쳐진 자신의 육신과 동일시되었는지 정확히 알 수는 없지만, 차명아로부터 그 이야기를 듣는 순간 형조의 살을 파헤치는 쇠붙이가 눈에 보이는 듯했다.

형조가 세상을 떠난 것은 1995년 12월이었다. 날씨가 몹시 추웠고, 눈이 흩날렸다. 그가 마지막으로 그린 그림은 새였다. 새는 하늘처럼 보이기도 하고 바다처럼 보이기도 하는 푸른 공간을 날고 있었는데, 싱싱한 생명의 에너지를 품은 날개가 눈부셨다.

6

김윤희의 말에 따르면 차명아가 딸의 마지막 문자를 받은 시각은 4월 16일 오전 10시 7분이었다. 그 내용이 "엄마 걱정하지 마^^ 난 아빠의 그림 속 새가 되어서라도 엄마한테 갈

거니까!"였다. 그 말을 듣는 순간 두 마리 새가 떠올랐다. 형조의 광부 그림 속의 새와 마지막 그림 속의 새였다. 딸이 아빠의 그림을 좋아한 모양이라고 내가 말하자 김윤희는 미소를 지으며 아이가 자신의 방에 아빠의 마지막 그림을 걸어놓은 것은 초등학교 5학년 때라고 말했다.

형조가 새를 그리기 시작한 것은 숨을 거두기 35일 전이었다. 그때까지 그는 자기파괴적으로 술을 마셨다. 식사는 거의 하지 않았다. 차명아가 못 마시게 하면 나가서 마셨다. 병원에는 가지 않았다. 차명아의 말로는 죽음을 향해 질주하는 사람처럼 보였다고 했다. 그런 그가 돌연 그림을 그리기 시작한 것이었다. 술도 멀리했다. 무엇이 그를 변화시켰는지 정확히 알 수 없었지만 다행스럽다는 생각과 함께 불길한 예감도 들었다. 죽음에 대한 준비가 아닌가 하는. 당시는 그렇게 생각할 수밖에 없었다. 그런데 김윤희의 말을 듣다 보니 형조의 변화가 차명아의 임신 때문일 수도 있겠다는 생각이 문득 들었다. 세월을 헤아려보니 딸이 태어난 해와 맞아떨어졌다. 그런 나의 생각을 조심스럽게 밝혔더니 김윤희는 맞다고 하면서, 차명아가 그 이야기를 한 것은 딸을 낳고 나서였다고 말했다. 사리포구 언덕에서 차명아를 처음 보았을 때의 모습이 가물가물 떠올랐다. 나는 그녀가 잘 견디고 있느냐고 물었다. 딸이 살아 있다는 희망을 놓지 않으려 한다면서 김윤희는 눈물을 글썽였다. 아득했다. 삶과 죽음 사이에 어떤 깊이의 허공이 가로놓여 있는지, 알고 싶었다. 차명아가 앞으로 겪어야 할 고통 앞에 무릎을 꿇고 싶었다.

김윤희는 내일 차명아를 만나러 진도로 간다고 했다. 그녀 곁에 있어야 할 것 같다고 작은 목소리로 말했다. 행사 후 저녁 식사가 예정되어 있었다. 함께 가자고 했더니 김윤희는 내일 진도에 가려면 준비할 것들이 많다고 했다. 헤어지기 전 그녀의 전화번호를 내 휴대폰에 입력했다.

저녁 식사 자리에는 문학관 관계자들과 박 선배의 소설 세계에 대해 강연했던 문학평론가, 박 선배의 부인과 아들이 참석했다. 반주로 소주와 맥주가 식탁에 올라왔다. 행사의 분위기와 함께 박 선배와 관련한 이야기들이 두런두런 오갔다. 문학평론가는 박 선배의 마지막 소설에 대해 이야기했다. 그 전의 소설과는 분위기가 많이 달랐다고 하면서, 작가의 변화가 느껴져 앞으로의 소설이 기대되었는데 그렇게 빨리 갈 줄 몰랐다고 착잡한 표정을 지었다.

박 선배의 마지막 소설이 발표된 것은 2002년 9월이었다. 암 수술 받기 7개월 전이었으니 자신의 몸에 죽음의 세포가 자라고 있는 줄 몰랐을 것이다. 그 소설을 읽으면서 그가 삶 혹은 운명과 화해하려는구나, 생각했다. 시체 냄새 풍기는 어머니, 객사한 큰형과 산송장으로 버려진 작은형의 시커먼 몸뚱이를 자신에게서 끌어내어 소설의 인물들 속으로 밀어 넣은 것은 그들과 새로운 관계를 맺고 싶어 하는 마음의 표현임을 강하게 느꼈던 것이다. 그런 그의 마음이 죽음과 싸우면서 어떤 변화를 겪었는지 알 길이 없다.

식사를 마치고 별실에서 나왔을 때 식당 홀 벽에 걸린 텔레비전 화면에 "여객선 침몰 특보, 세월호 선체 완전 침수"라는 자막이 보였다. 화면을 멍하니 보고 있다가 일행을 따라 식당을 나왔다. 박 선배 부인은 아들 차로 귀가한다고 했다. 그들과 헤어져 어두운 거리를 터벅터벅 걸었다. 형조의 얼굴이 떠올랐다. 수줍은 듯 해맑은 미소가 입가에 어려 있었다. 그가 이 세상에 없다는 사실이 처음으로 다행스럽게 생각되었다. 걸음을 멈추고 하늘을 올려다보았다. 별이 잘 보이지 않았다. 하늘이 흐린 것인지, 내 눈이 흐린 것인지 알 수 없었다. 사리포구 언덕에서 형조와 함께 보았던 별들이 아른거리면서 형조의 모습이 어렴풋이 떠올랐다. 그는 나무처럼 서서 별자리를 찾고 있었다. 눈물이 핑 돌았다. 그의 곁으로 가고 싶었다. 그의 곁에서 그와 함께 날개를 활짝 펼쳐 별을 향해 날아가고 있는 한 마리 새를 찾고 싶었다. 누군가가 다가오는 기척이 느껴졌다. 기척은 낯설지 않았다. 박 선배였다. 그는 씩 웃으며 타라고 했다. 그의 옆에는 그가 몰고 다녔던 낡은 지프가 있었다.

"지금 당장 미스 스윙을 보러 가야지!"

목소리가 쾌활했다. 하지만 그의 커다란 눈에는 눈물이 그렁그렁했다.

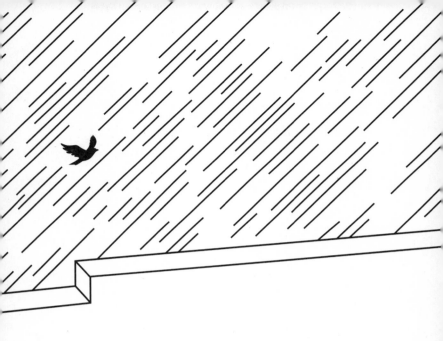

새들의 길

1

    운동화 한 켤레가 방파제 위에 놓여 있다. 봄 햇살을 받아 눈처럼 희게 빛난다. 그녀의 눈에는 한 마리 새처럼 보인다. 운동화 옆에 비닐에 싸인 옷이 있고, 그 위에는 부모가 아들에게 보내는 편지가 접착테이프로 붙여져 있다.

    ──사랑하는 내 아들, 넌 지금 어디 있니? 어찌 그리 못 오고 있어. 새 신발을 신어보고, 옷도 입어봐야지. 너의 여행이 너무 길어. 어서 빨리 돌아와. 오늘은 약속하는 거지?

    그녀의 눈자위가 금방 붉어진다. 저 아이는 지금 어디에 있을까? 우리 종우와는 얼마나 멀리 떨어진 곳에 있는 걸까? 어젯밤 꿈이 떠오른다. 종우가 바다 밑 뻘을 헤치고 무언가를 찾고 있었다. 얼굴 표정과 몸짓이 간절했다. 몸이 진흙투성이였다. 종우야, 깊은 바다 밑에서 무얼 그토록 애타게 찾고 있니? 함께 찾고 싶었지만 종우에게로 갈 수 없었다. 몸이 무언가에 묶여 있는 듯 움직여지지 않았다. 종우의 발이 보였다. 맨발이었다. 몸은 진흙투성인데 발은 하얬다. 하얀 발에 눈이 시렸다. 아! 그녀의 입에서 탄성이 흘렀다. 종우가 찾는 것이 무엇인지 깨달은 것이다. 운동화였다.

종우가 제주도로 수학여행을 가기 일주일 전이었다. 그날 그녀는 친절 교육을 받았다. 어서 오십시오, 고객님. 무얼 도와드릴까요? 포인트 카드 있으세요? 5만 원 받았습니다. 거스름돈 여기 있습니다. 고객님, 행복한 하루 보내세요. 인사말을 하나라도 빠뜨리면 안 된다. 웃으면서 해야 한다. 해야할 말을 슬쩍 뛰어넘거나, 마음속에 일렁이는 저항감으로 지침을 어기다가 모니터링 요원한테 걸리면 친절 교육을 받는다. 그녀는 다른 직원들보다 나이가 많기에 늘 긴장되었다.

그날 서른 명이 모인 교육장에서 똑같은 말과 동작을 끊임없이 반복했다. 감정을 버리지 않으면, 자동 인형이 되지 않으면 견디기 힘들다. 한 시간쯤 지났을 때 가슴에 쌓인 모욕감이 되살아나면서 구역질이 났다. 간신히 버텼다. 집에 돌아왔을 때는 저녁 10시가 넘어 있었다. 종우는 집에 없었다. 소파에 쓰러질 듯 누웠다. 어지러운 데다 허리까지 아팠다. 가물거리는 의식 속에서 문 여는 소리를 들었다. 종우였다. 시계를 보니 11시가 다 되어가고 있었다. 종우가 라면을 끓여달

112

라고 했다. 저녁을 안 먹었느냐고 물었더니 먹었지만 배가 출출하다고 했다. 밝은 목소리가 아니었다. 표정도 시무룩했다.

"나도 출출한데, 잘됐네."

그녀는 미소 지으며 종우의 뺨을 톡톡 쳤다. 물이 끓는 동안 매운 고추를 썰었다. 종우는 매운맛을 좋아했다. 대신 수프를 덜 넣었다. 종우가 수학여행을 가고 싶지 않다고 말한 것은 라면을 반쯤 먹었을 때였다. 그녀는 눈을 동그랗게 떴다.

"왜?"

"성태가 못 간대."

성태는 종우의 단짝이다.

"성태가 안 되긴 했지만, 어쩔 수 없잖아."

성태의 집안 형편이 무척 어렵다는 것은 종우를 통해 알고 있었다. 엄마는 없고, 아버지는 병으로 누워 있는 데다 여동생마저 몸이 성치 않았다.

"세상이 너무 더러워."

가슴이 철렁했다.

"성태가 그런 말을 했어?"

그녀는 조심스럽게 물었다.

"성태는 그런 말, 안 해."

목소리가 퉁명스러웠다.

"세상이 왜 더럽다고 생각해?"

"엄만 세상이 깨끗하다고 생각하는 거야?"

그녀는 라면 몇 가락을 젓가락으로 천천히 말았다.

"아주 더럽다고 생각하지는 않아. 세상에는 좋은 사람들이 의외로 많거든."

"다행이네."

종우는 혼잣말하듯 말했다. 화제를 바꾸고 싶었다. 종우가 무슨 말을 할지 겁이 났다.

"엄마가 여행할 수 있다면 가장 가고 싶은 곳이 있는데, 알아맞혀볼래?"

"글쎄……"

"제주도야."

"제주도, 한 번도 안 가봤어?"

"응."

"엄마가 나 대신 가면 되겠네."

"내가 너로 변신할 수 있다면 정말 좋겠다."

그녀의 말에 종우는 피식 웃었다.

"넌 어디를 가장 가고 싶니?"

"북극."

"북극? 아, 거긴 무척 깨끗하겠네."

그녀의 눈이 반짝였다. 그녀도 얼음의 땅을 꿈꾼 적이 있었다. 넉 달 동안 해가 뜨지 않는다고 했다. 그런 곳에서 잠을 자고 싶었다. 넉 달 동안 한 번도 깨지 않는 깊은 잠을. 넉 달이 지나면 새벽이 온다. 조금씩 밝아오는 새벽이 한 달 동안 계속된다고 한다. 그런 새벽의 빛에 몸을 씻고 싶었다.

"북극 갈 땐 뭘 타고 갈 거야? 숨겨놓은 설국 열차가 있어?"

"배를 타고 가야지."

"왜 배야?"

"북극 탐험가들은 배를 타고 갔어."

"음, 탐험가가 되고 싶었군. 그럼 제주도는 꼭 가야겠네."

"왜?"

"넌 배를 타본 적이 없잖아. 북극을 탐험하려면 배에 익숙해져야지."

종우는 침묵했다. 무언가를 골똘히 생각하는 것 같았다. 그녀는 식은 라면 국물을 후루룩 마셨다.

"제주도에 가서 성태가 좋아할 선물을 사렴."

"알았어."

종우의 표정이 시큰둥했다.

"여행 준비는 잘하고 있어?"

"응."

"운동화는 괜찮아? 안쪽 천이 해져 있던데."

"상관없어."

"친구들이 볼 텐데……"

"괜찮대도. 새 운동화 잘못 신으면 엄청 불편해. 길들이는 데 시간이 걸리거든."

종우가 왜 이런 말을 하는지 그녀는 잘 알고 있었다. 종우도 명품 브랜드 운동화를 신고 싶을 것이다. 하지만 그것이 얼마나 어울리지 않는 짓인지, 종우는 체득한 것 같았다. 종우가 중학교 입학할 때 또래 아이들이 가장 신고 싶어 한다는 운동화를 큰마음 먹고 샀다. 종우는 엄마가 무슨 돈이 있어 이걸 샀느냐고 화를 벌컥 내면서, 다른 운동화로 바꿔 오지 않으면 신지 않겠다고 했다. 결국 종우의 고집을 꺾지 못해 다음 날 운동화를 바꾸러 가야 했다.

"엄마 방에 있는 운동화 신어볼래?"

"엄마 방에 운동화가 있어?"

"그럼 있지. 오래되긴 했지만 좋은 운동화야. 잠깐 기다려."

방으로 들어간 그녀는 잠시 후 운동화가 든 종이 상자를 들고 왔다.

"어, 진짜 좋은 운동화네. 어디서 났어?"

"엄마가 샀어."

"언제 샀는데?"

"몇 년 됐어."

"누굴 주려고 샀어?"

"엄마의 오빠. 너에게는 외삼촌이지."

"엄마에게 오빠가 있었어?"

"응."

"돌아가셨어?"

그녀는 고개를 끄덕였다.

"언제?"

"스물다섯 살 때."

"빨리 돌아가셨네. 왜 돌아가셨어?"

"제주도 여행 갔다 오면 말해줄게."

"지금은 안 돼?"

"우리 도련님, 궁금해도 참아요."

"참아야 하는 게 너무 많아."

종우는 얼굴을 찡그렸다.

"하나만 말해줘."

"뭔데?"

"외삼촌이 오래전에 돌아가셨는데 운동화는 왜 샀어?"

"엄마 가슴속에는 살아 있으니까."

"더 궁금해지네."

"질문은 그만하고 외삼촌 운동화 신어봐."

그녀는 상자에서 운동화를 꺼냈다.

"딱 맞네. 무척 편해."

"그럴 줄 알았어. 네 운동화 치수와 똑같거든."

그녀는 활짝 웃었다.

"외삼촌 운동화 신고 갈래?"

"글쎄⋯⋯"

"디자인이 촌스러워?"

"아니, 마음에 들어."

"그럼 신고 가. 외삼촌이 너에게 주는 거니까."

가슴 깊은 곳에서 슬픔이 일렁이고 있었다. 오랜 세월 동안 묻어둔 슬픔이었다.

"외삼촌이 주시는 거라면 받아야지."

그녀의 얼굴을 물끄러미 보던 종우는 작은 목소리로 말했다.

"이제 이 운동화 내 거네."

"그래, 외삼촌 운동화는 이제 우리 종우 거야."

오빠의 얼굴이 떠올랐다. 해맑은 얼굴이었다. 그녀는 나이가 들어 얼굴이 쭈글쭈글해졌는데, 오빠의 얼굴은 여전히 스물다섯 살 청년이었다. 스물다섯 살 청년을 그리워하며 보낸 세월이 아득했다. 사무친 아득함이었다. 눈시울이 뜨거워졌다.

2

진도 바닷가에서 지낸 한 달여 동안 잠을 제대로 잔 적이 없다. 간신히 잠이 들면 악몽에 시달렸다. 끔찍하게 변해버린 종우가 꿈에 자주 나타났다. 손톱이 다 빠진 손으로 무언가를 긁고 있었다. 눈동자가 없어 휑하니 뚫린 눈으로 주위를 두리번거렸다. 입안에 피를 가득 머금은 채 누군가를 소리쳐 부르고 있었다. 너무 끔찍해 잠드는 것이 무서웠다.

배가 침몰하던 4월 16일 아침 그녀는 잠 속에 빠져 있었다. 마트 일이 끝난 것은 새벽 1시 40분이었다. 매출 금액과 받은 돈이 차이가 나 식은땀을 흘렸다. 적은 액수가 아니었지만 그녀 돈으로 메웠다. 팀장을 면담하고 사유서를 써야 한다고 생각하면 끔찍했다. 집에 오니 2시 반이었다. 3시 넘어 이불을 폈다. 잠이 오지 않았다. 오랫동안 뒤척이다 간신히 잠이 들었다. 잠에서 깨어난 것은 성태의 전화 때문이었다. 잠결에 전화를 받았다. 9시 40분경이었다.

성태는 종우가 오늘 아침 그녀에게 문자를 보냈는데 답이 없다면서, 문자를 보았는지 알고 싶어 한다고 말했다. 성태가 그녀에게 전화한 것은 처음이었다. 게다가 아침이었다. 무엇보다 혼란스러운 것은 전화한 이유였다. 불길한 예감이 들었다. 그녀는 종우의 문자를 보지 못했다고 말하고는 무슨 일이 생겼느냐고 물었다. 성태는 머뭇거리는 목소리로 배에 이상이 생긴 것 같다고 말했다. 종우가 배탈이 났다는 뜻으로 알아들은 그녀는 배탈이 크게 났느냐고 다급히 물었다. 성태는 그게 아니라면서 배가 기울어지고 있는 것 같다고 말했다. 그녀는 벌떡 일어났다.

"어떻게 기울어졌어? 위험하대?"

"종우가 보낸 문자에는 배가 많이 기울어져 창밖으로 아무것도 안 보인다고…… 바다밖에 안 보인다고……"

"배가 왜 기울어져? 사고가 났어?"

"그런가 봐요. 너무 기울어져 걸을 수 없대요."

"성태야, 종우 문자 확인하고 다시 전화할 테니 기다려."

그녀는 전화를 끊고 종우가 보낸 문자를 찾았다.

──엄마, 엄마의 좋은 아들이 되고 싶었어. 공부 열심히 해서 고생하는 우리 엄마 호강시켜드리고 싶었어. 걱정 마. 나 구명조끼 입고 있어. 게다가 외삼촌이 주신 신발을 신고 있거든. 외삼촌이 보살펴주실 것 같아. 돌아가면 외삼촌 이야기 해줘. 나에게 외삼촌이 있었다고 생각하면 기분이 좋아져. 엄마 사랑해.

문자가 온 시각은 9시 27분이었다. 이게 무슨 일이지? 무슨 일이 일어났기에 종우가 이런 문자를 보낸 거지? 재발신 버튼을 누르는데 손이 덜덜 떨렸다. 전화를 받지 않았다. 새소리만 가냘프게 들려왔다. 종우야 전화 받아, 엄마야. 그녀는 무릎을 꿇고 간절히 빌었다. 아득히 먼 곳에서 들려오는 듯한 새소리는 조금씩 희미해지고 있었다. 금방 사라질 것 같았다. 저기는 우리 종우가 있는 곳인데. 이 소리마저 사라지면 우리 종우 목소리를 어떻게 듣지. 그녀는 황급히 종료 버튼을 눌렀다. 종우야 조금만 기다려. 엄마가 다시 전화할게. 그녀는 중얼거리며 성태에게 전화했다. 성태는 금방 받았다.

"종우가 전화를 받지 않아. 종우에게 무슨 일이 생겼어?"

"저도 여러 번 했는데 안 받아요."

"마지막으로 통화한 때가 언제야?"

"9시 조금 전이에요. 문자는 그 후에 세 번 왔어요."

"문자는 가?"

"지금은 안 가는 것 같아요. 답이 없어요."

"알았어, 성태야. 학교에 가봐야겠어. 전화 끊을게."

그녀가 학교에 도착하니 학부모들이 많이 와 있었다. 학생들이 탄 배가 진도 앞바다에서 가라앉고 있다고 했다. 현기증이 나면서 몸이 와들와들 떨렸다. 떨지 않으려고 안간힘을 썼으나 소용이 없었다. 서 있기가 힘들었다. 보이지 않는 어떤 손이 그녀를 뒤흔드는 것 같았다. 누군가가 다가와 의자에 앉으라고 말했다. 간신히 의자에 앉았다. 온갖 생각들이 스쳐 지나갔다. 모두가 끔찍한 생각들이었다. 종우에게 전화하려고 폴더를 몇 번이나 열었다 닫았다 했다. 두려웠다. 새소리마저 들리지 않을 것 같았다. 캄캄한 지붕 위에 홀로 서 있는 느낌이었다. 시간이 얼마나 흘렀는지 알 수 없었다. 누군가가 뭐라고 말했다. 제대로 듣지 못했다. 그가 다시 큰 소리로 말했다. 학생들 모두가 구조되었다고 했다. 여기저기서 환호성이 들려왔지만 믿기지 않았다. 방송 뉴스를 보고 나서야 눈물이 주르르 흘렀다. 11시 조금 넘은 시각이었다.

12시 30분경 학부모들과 함께 학교에서 주선한 버스를 타고 진도로 향했다. 차창 너머 풍경을 보면서 무슨 말을 해야 종우의 상한 마음을 달랠 수 있을지, 골똘히 생각했다. 바다에서 빠져나온 종우의 모습이 잘 그려지지 않았다. 종우와 함께 해수욕장 한번 가본 적 없다는 사실이 아프게 환기되었다. 종우야 미안해. 이번 여름에는 모래가 아주 고운 바닷가에 꼭 데려갈게. 그녀는 마음속으로 종우와 약속했다.

　오후 2시에 구조된 승객이 368명이라고 발표한 정부는 4시 30분에는 164명으로 수정 발표했다. 믿기지 않았다. 종우가 구조되지 않았을 수도 있다고 생각하면 가슴이 타들어갔다. 오후 5시 10분에 시작된 행정안전부 브리핑에서 대통령은 "학생들이 구명조끼를 입고 있었다는데, 그렇게 찾기 어려운 가요?"라고 물었다고 했다. 학생들 대다수가 배 안에 갇혀 있다는 사실이 뉴스로 알려진 지 한참 지난 뒤였다. 억장이 무너졌다. 옆에 앉은 이에게 무어라고 말을 하고 싶었지만 목소리가 나오지 않았다. 말하는 법을 잊은 것 같았다.

　버스가 진도 실내체육관 앞에 도착한 것은 오후 7시경이었다. 체육관 입구에 게시된 구조자 명단에 종우 이름은 없었다. 눈앞이 캄캄했다. 체육관 제일 앞자리에 꾸려진 상황실에는 텔레비전 두 대만 덜렁 놓여 있을 뿐 구조 상황을 알리는 안내판이 없었다. 누구에게 물어야 할지 몰랐다. 강한 해류로 구조 작업이 오후 6시 50분에 중단되었다는 말이 들려왔다. 텔레비전 화면에는 가라앉는 배가 비치고 있었다. 누군가에게 물어뜯기는 듯한 느낌이 들었다. 저녁 9시에는 육해공군을 총동원하여 수색하고 있다는 보도가 나왔다. 희망의 불이 켜지는 것 같았다. 하지만 실제로 투입된 잠수사는 열여섯 명에 불과하다는 사실을 알았을 때 이마에 못이 박히는 듯한 고통을 느꼈다.

자정이 가까운 시각에 학부모들과 함께 배를 탔다. 팽목항을 출발한 배는 종우가 타고 있는 배를 향해 달렸다. 바다는 캄캄했다. 검은 물 아래서 오빠가 따라오고 있었다. 오빠의 얼굴은 검은 물에 싸여 잘 보이지 않았다. 오빠, 나를 도와줘. 그녀는 마음속으로 간절히 빌었다. 오빠가 고개를 끄덕이는 것 같았다. 오빠 운동화를 신고 환히 웃는 종우의 얼굴이 떠올랐다. 종우는 외삼촌이 있었다는 사실만으로 기뻐했다. 아버지 없이 자란 종우의 외로움 때문일 것이라고 생각하니 가슴이 쓰렸다.

　한 시간 반쯤 지났을 때 조명탄이 보였다. 불빛 사이로 검은 바다에 잠긴 세월호가 눈에 들어왔다. 배의 머리 부분만 물 위로 나와 있었다. 모두들 자식의 이름을 부르며 거기서 빨리 나오라고 목이 터져라 외쳤다. 그러다가 목 놓아 울고, 울다가 다시 이름을 불렀다. 엄마가 여기 왔는데, 너를 집으로 데려가려고 여기 와 있는데, 너는 왜 보이지 않니? 종우야, 얼른 나와. 엄마와 외삼촌이 널 기다리고 있어. 외삼촌이 얼마나 널 보고 싶어 하는지 아니? 너도 외삼촌을 보고 싶어 하잖아. 그 안이 어둡니? 엄마 손에 등불이 있다면 비춰줄 텐데, 지금 내 두 손은 텅 비어 있어. 종우야 어서 나와. 어서 나와서 텅 빈 나를 채워주렴. 넌 캄캄하고 좁은 엄마의 몸 안에서도 빠져나오지 않았니. 저렇게 커다란 배에서 못 나올 이유가 없잖아. 네가 태어난 것은 나에게 기적이었어. 그 기적을 다시 보여주렴. 너를 칭칭 감고 있는 어둠을 찢고 나에게로 날아오렴. 그녀는 종우에게 쉼 없이 말을 걸었다. 배가 팽목항으로 돌아갈 때 오빠의 얼굴이 비로소 보였다. 오빠의 얼굴도 눈물에 젖어 있었다.

3

햇살에 싸인 운동화는 금방이라도 날개를 펴고 날아갈 것 같다. 그녀는 넋을 잃고 하늘을 올려다본다. 날갯짓을 하는 새가 보이는 듯하다. 제대로 자라기도 전에 찢겨버린 영혼들이 가는 데가 어디인지 궁금하다.

"종우 엄마."

목소리와 함께 어깨에 닿는 손의 감촉에 고개를 돌린다. 명호 어머니다.

"언제 오셨어요?"

"지금 왔어요. 종우 보러."

명호 어머니는 그녀를 살며시 껴안는다.

"뭐하러 오세요. 그 먼 데서."

"미안해서……"

명호 어머니의 눈자위가 금방 붉어진다. 명호는 종우와 한 반이다. 진도로 내려올 때 같은 버스를 탔다. 그때만 해도 아이를 데리러 간다고 생각했다. 바닷가에서 아들이 살아 돌아오기를 매일 기도하던 명호 어머니는 언젠가부터 얼굴이라도 알아볼 수 있도록 시신을 빨리 찾아달라고 기도하기 시작했다. 기도할 때마다 눈물을 쏟아냈다. 울음소리는 내지 않았다. 울음소리를 안으로 꾹꾹 밀어 넣는 것 같았다. 기도 내용을 바꾼 후로 세상이 무덤처럼 느껴진다고 했다. 몸 안에 텅 빈 관 하나가 들어 있는 것 같기도 하다고 말했다. 명호 시신이 발견된 것은 기도 내용을 바꾼 지 닷새 후였다. 그날 오후 진도 체육관 대형 모니터에 수습한 주검의 특징이 나왔다. 검정색 나이키 후드, 회색 운동복 바지, 키 170센티미터, 파란색 손목시계……

명호 어머니와 아버지는 시체 검안소로 달려갔다. 그녀는 바깥에서 기다렸다. 잠시 후 명호 어머니의 통곡이 들려왔다. 기도할 때 눈물을 줄줄 흘리면서도 울음소리 한 번 내지 않았던 명호 어머니가 창자를 긁어내는 듯한 소리를 내고 있었다. 그녀의 눈에서 눈물이 주르르 흘렀다. 울음소리를 내지 않으려고 손으로 입을 틀어막았다. 시체 검안소에서 나온 명호 어머니는 하늘을 올려다보며 울부짖었다.

"우리 명호를 어떻게 그렇게 만들 수가 있어? 그 착한 아이가 왜 저렇게 되어야 하는 거야? 누가 그렇게 했어?"

시신 상태는 명호 어머니의 바람과 달랐다. 아들을 알아보게 한 것은 얼굴이 아니었다. 파란색 손목시계였다. 명호가 1학년 때 전교 3등을 해서 사 준 시계였다. 그날 명호 어머니는 그토록 기다려온 아들과 함께 진도를 떠났다. 먼저 떠나 미안하다면서 눈물을 흘렸다.

명호 어머니는 장례를 치른 후 거의 매일 그녀에게 전화했는데, 빠지지 않고 하는 말이 '미안하다'였다. 명호 어머니만 그런 것이 아니었다. 지난 5월 1일 장례를 마친 부모 150여 명이 진도 바닷가를 다시 찾아왔다. 그들은 자식을 먼저 찾은 것에 대해 진심으로 미안해했다. 아직도 차가운 바닷속에 있을 아이들과 그 아이들을 애타게 기다리는 부모들을 생각하면 미안해서 견딜 수 없다고 했다.

장례를 치른 부모들 사이에서도 그랬다. 명호 어머니의 말에 따르면 유가족 부모들은 시신이 인양된 순서에 따른 번호표 명찰을 늘 목에 걸고 다니는데, 앞 번호의 부모들은 뒤 번호의 부모를 보면 거의 본능적으로 미안함과 함께 죄의식을 느낀다고 했다.

"종우야, 엄마 속 그만 태우고 빨리 나와. 명호도 널 보고 싶어 해. 이제 집에 가야지."

명호 어머니는 흰 햇살에 싸인 바다를 향해 소리친다. 눈물이 다시 치솟는다. 종우를 부르는 명호 어머니의 간절한 외침은 고통에서 우러나온 것이다. 자식 잃은 명호 어머니의 고통은 그녀의 가슴속으로 흘러들어 와 그녀의 고통과 섞인다. 그녀는 자신의 고통과 명호 어머니의 고통을 구분할 수 없다. 두 개의 서로 다른 고통이 섞여 하나의 고통으로 변화한 것 같다.

"이것, 종우 엄마가 갖고 계세요."

명호 어머니는 가방에서 시계를 꺼내 그녀에게 내민다.

"명호 시계예요. 명호가 물속에서 발견되었을 때 이 시계는 살아 있었어요. 방수시계인 줄은 알고 있었지만 그렇게 깊은 물속에서도 살아 있을 줄 몰랐어요."

"왜 저에게……"

"명호 시계 속에는 종우의 시간도 깃들어 있을 거예요. 함께 배를 타고 있었으니까요. 그렇잖아요?"

그녀는 고개를 끄덕인다.

"그러니까 종우 엄마가 가지고 계셔야 해요. 종우가 잃어버린 제 시간을 찾기 위해 물속에서 나올지 모르잖아요."

그녀는 눈물을 흘리며 시계를 받는다.

"왜 이렇게 야위었어요. 식사 제대로 안 하시죠?"

"애는 쓰는데……"

그녀는 말을 잇지 못한다.

"종우가 엄마 많이 걱정할 거예요."

"알았어요."

그녀의 입가에 희미한 미소가 어린다.

"성태 이야기 들었어요?"

명호 어머니는 작은 목소리로 말한다.

"무슨 이야긴데요?"

"학교에 온 임상심리사가 성태를 상담했대요. 처음에는 거의 말을 않다가 더듬더듬 말하기 시작하는데…… 어떻게 해서든 자기가 세월호를 탔었어야 했다고, 타서 죽었어야 했다고 말하면서 울더래요. 그래야만 보상금이 나와 아버지와 여동생이 병원에서 치료받을 수 있다면서……"

명호 어머니 눈에 눈물이 글썽인다.

"수학여행 가기 일주일 전이었어요. 종우가 여행 가기 싫다고 하더군요. 성태가 못 간다면서. 전 은근히 화가 났어요. 서운하기도 했고요. 종우 마음속에 수학여행 비용을 힘들게 마련한 이 엄마의 마음은 들어 있지 않다고 느꼈나 봐요. 성태에 대한 종우의 마음도 못마땅했어요. 세상 살아가기가 얼마나 힘든데 그런 여린 마음을 갖고 있느냐, 하는 심정이었던 거죠. 그 생각을 하면 가슴이 찢어져요. 그런 좁은 마음을 갖지 않았다면 종우가 수학여행을 안 갔을지도 모른다는 생각이 자꾸 들어요. 요즘은……"

그녀의 마른 손이 이마를 더듬는다.

"종우가 성태에게 보낸 마지막 문자가 자꾸 떠올라요."

"뭐라고 썼는데요?"

"어쩌면 북극으로 가는 배를 탈 수 있을지 모르겠다고 했어요."

그녀는 손등으로 눈물을 훔치며 말한다.

"종우가 북극에 가고 싶어 했나요?"

"가장 가고 싶은 곳이라고 했어요."

그녀가 북극을 꿈꾸고 있었을 때 자주 상상했던 환월이 떠오른다. 북극의 겨울 하늘에 나타나는 환월은 미세한 얼음 결정체를 품은 대기가 달빛을 받아 안쪽으로 굽어지면서 둥글게 퍼져나가는 환각의 달이다. 환각의 달 아래서 그녀는 다음 생을 꿈꾸곤 했다.

"종우가 참 좋은 꿈을 가지고 있었네요. 좋은 꿈을 가지고 있으면……"

명호 어머니는 바다를 물끄러미 본다.

"떠나기…… 쉬웠을 거예요."

울음을 간신히 참고 있는 목소리다.

"전 우리 명호를 세상 누구보다도 잘 안다고 생각했어요. 엄마니까요. 명호가 차가운 바닷속으로 가라앉은 후로는 거의 하루 종일 명호 생각만 했어요. 그렇게 생각하다 보니 제가 명호에 대해 정말 중요한 것은 모르고 있다는 사실을 깨달았어요. 전 우리 명호가 무슨 꿈을 갖고 있었는지 모르고 있었어요. 명호가 정말 하고 싶었던 것이 무언지도 몰랐어요. 제 관심은 명호 성적에 쏠려 있었어요. 명호의 꿈은 제 관심의 중심에서 먼 곳에 있었다는 사실을 깨닫게 된 거예요. 얼마 전 명호 또래 학생이 인터넷에 올린 글을 보고 소스라치게 놀랐어요. 그 아인 자신은 세월호 바깥에 있다고 생각하지 않는다고 했어요. 시험을 보면 돼지처럼 등급이 매겨지고, 점

수가 내려가면 스스로를 쓰레기라고 부르는 우리도 죽어가고 있다고 했어요. 제가 가장 두려운 것은 혹시 우리 명호도 그런 생각을 하지 않았나, 하는 거예요. 그 생각만 하면 눈앞이 캄캄해요. 명호가 조금이라도 그런 생각을 했다면……"

명호 어머니의 안색이 창백해진다.

"엄마를 진심으로 사랑할 수 있었을까요?"

명호 어머니의 눈에서 눈물이 뚝뚝 떨어진다.

4

"성태니?"

"네."

"지금 뭐 해?"

"그냥 앉아 있어요."

"밥은 먹었어?"

"조금 전에 먹었어요."

"아버지는 어떠시니?"

"그냥, 그래요."

"종우가 너에게 한 말 있지…… 북극으로 가는 배를 탈 수 있을지 모르겠다는 말. 종우가 왜 그런 말을 했을까?"

"……"

"그건, 우리 종우가 세상에 남긴 마지막 말이야. 그러니 성태야, 말해보렴."

"종우는 고래를 생각했을 거예요."

"고래?"

"종우는 고래를 아주 좋아해요."

"종우가 왜 고래를 좋아하게 됐어?"

"고래의 눈을 보았거든요."

들릴 듯 말 듯했던 성태의 목소리가 고래 이야기를 하면서부터 생기가 돈다.

"고래의 눈을 어떻게 보니?"

"컴퓨터 스크린에서는 볼 수 있어요."

"아, 그렇겠네."

"저도 봤는데, 눈동자가 너무 깊어요."

"눈동자가 어떻게 깊어?"

"제가 보일 만큼요."

종우의 얼굴이 어른거린다. 슬픈 얼굴 같기도 하고, 화난 얼굴 같기도 하다. 어쩌면 자신도 명호 어머니처럼 종우에게 정말 중요한 것은 모르고 있을지도 모른다는 생각이 든다.

"그러니까 종우가 고래를 좋아하게 된 건 고래 눈동자가 깊기 때문이라는 거야?"

"맞아요. 종우는 고래 눈동자 속에 다른 세상이 있다고 했어요. 여기와는 다른 세상 말이에요."

다른 세상이라고 말할 때 성태의 목소리가 경쾌하기까지

하다.

"북극으로 가는 배를 탈 수 있을지 모르겠다는 종우의 말이 고래와 무슨 관계가 있니?"

"종우가 가장 좋아하는 고래는 귀신고래예요."

"귀신고래?"

"귀신고래가 1년 동안 여행하는 거리가 얼만지 아세요?"

"몰라."

"2만 킬로미터예요. 귀신고래의 수명은 40년 남짓이에요. 40년 동안 귀신고래가 여행하는 거리는 지구에서 달까지의 거리예요. 귀신고래에게 북극 여행은 아주 가벼운 여행인 거지요."

"하지만 종우는 고래가 아니잖니?"

"종우는 세상에 다시 태어날 수 있다면 고래로 태어나고 싶다고 했어요."

가슴속에서 뜨거운 것이 올라온다. 종우가 부르는 소리를 듣지 못하고…… 너는 들었는데, 난 듣지 못하고…… 그동안 그녀는 종우와 통화했을 경우의 상황을 수없이 그렸다. 종우에게 갑판으로 올라가라고 말했을 것 같았다. 그 생각을 하면 견디기 힘들었다.

"배 안에 있는 친구들이 부러워요."

"왜 그런 생각을 해?"

"많은 사람이 배를 탄 친구들을 생각하고…… 또…… 보고 싶어 하잖아요."

"그건……"

목에 무엇이 턱 걸려 있는 것 같아 말을 할 수 없다.

"종우와 함께 북극에 가는 것이 꿈이었어요. 그 생각만 하면 힘이 절로 났어요. 이제 제 꿈은 산산조각이 났어요. 전 종우와 함께 배를 탔어야 했어요. 정말 탔어야 했어요."

성태의 목소리에 울음이 섞여 있다.

5

그녀는 잿빛 컨테이너 앞에 선다. 사고 해역 주변에서 수거한 물건 가운데 주인을 찾을 수 없는 것들을 모아둔 유류품 보관소다. 4월 21일 팽목항 입구 갯벌 매립지에 만들어진 이후 이곳을 자주 찾았다. 처음 며칠 동안은 종우 물건이 있지 않을까, 하는 기대로 가슴이 설렜다. 특히 운동화를 눈여겨보았다. 오빠의 것과 비슷한 운동화가 시선에 잡혔을 때 숨이 멎는 듯했다. 하지만 아니었다. 색깔만 비슷했다. 그날 밤 꿈에 세월호가 보였다. 바다 밑을 항해하고 있었다. 배는 푸르스름했다. 창 안으로 보이는 아이들의 얼굴도 푸르스름했다. 푸르스름한 아이들이 노래를 부르고 있었다.

알고 있지 꽃들은

따뜻한 오월이면 꽃을 피워야 한다는 것을……

　세월호가 바닷속으로 완전히 가라앉은 것은 사고 사흘째인 4월 18일 낮 12시경이었다. 그럼에도 종우가 살아 있을 것이라는 믿음을 버리지 않았다. 오히려 더 깊이 품었다. 깊이 품으면 품을수록 기적의 빛이 종우에게 그만큼 더 가까이 갈 것 같았다. 믿음을 버린 것은 4월 22일이었다. 그날 오후 한 잠수사가 세월호 선체 안에서 남녀 고교생 시신 두 구를 발견했다.

　잠수 경력 35년째인 그가 물속을 떠다니는 운동화 두 짝을 본 것은 승객들이 다니는 통로에서였다. 머리 위에는 거꾸로 선 계단이 있었다. 주위의 부유물들을 밀어내니 청바지 차림에 구명조끼를 입은 남학생 시신이 나타났다. 그는 눈을 감고 두 손 모아 명복을 빈 후 배 밖으로 나가려고 남학생을 밀었다. 미는 순간 묵직한 느낌이 들었다. 자세히 살피니 길이 1미터가량 되는 구명조끼 아래쪽 끈에 뭔가가 연결돼 있었다. 끈을 당기자 맨발 상태의 여학생 주검이 올라왔다. 두 사람을 한꺼번에 끌고 나가기에는 너무 무거워 연결된 끈을 조심스레 풀었다. 남학생을 먼저 배 밖으로 밀어낸 후 여학생을 데리고 나왔다. 보통 시신은 물속에서 떠오르게 마련인데 남학생 시신은 잘 떠오르지 않았다. 이 아이들이 떨어지기 싫어서 저러는 건가, 하는 생각이 들어 눈물이 났다고 그는 말했다.

　두 아이가 보여준 죽음의 모습은 그들이 견딘 시간들, 기다

림과 외로움과 무서움의 시간들을 떠올리게 했다. 그 시간들
이 두 죽음을 연결한 것이었다. 그들은 별이었다. 별이 빛나
는 것은 별을 둘러싸고 있는 어둠 때문이다. 기다림과 외로움
과 무서움이라는 어둠은 두 아이를 별로 만든 것이다. 눈물겹
도록 아름다운 별 앞에서 기적에 대한 기대, 종우가 살아 있
을 것이라는 믿음은 스르르 허물어졌다. 두 아이가 보여준 죽
음의 모습 자체가 기적이었다.

그녀는 유류품 보관소 안으로 들어간다. 선반 위에는 주인
잃은 물건들이 놓여 있다. 줄 끊어진 기타가 먼저 시선을 붙
잡는다. 그전부터 있었는데, 아직도 주인을 못 찾은 모양이
다. 짝 잃은 운동화와 진흙 묻은 옷가지, 바닷물에 젖어 풀죽
은 인형, 변색된 가방과 모자…… 그것들을 물끄러미 보고 있
노라면 눈물이 맺힌다. 물속으로 사라진 아이들이 하고 싶었
던 말들, 하지만 끝내 하지 못한 말들이 물건 속으로 스며들
어 수런거리고 있는 듯했다.

오빠가 남긴 물건들이 그랬다. 오빠가 입던 옷, 오빠가 읽
던 책, 오빠가 썼던 만년필, 오빠가 들고 다녔던 가방, 오빠가
쳤던 기타…… 그 모든 물건들 속에 오빠가 못다 한 말들이
작은 물고기처럼 흘러 다녔다. 때로는 그 물고기들이 꿈속으
로 흘러 들어와 소리 없이 유영하곤 했다.

오빠는 스물다섯번째 생일을 사흘 앞두고 실종되었다. 오
빠가 돌아오기를 애타게 기다리던 아버지와 어머니는 보름이

지나자 경찰서를 찾았다. 치안 공무원들은 몹시 곤혹스러워했다. 담당이 아니라고 서로 미루었다. 민원실로, 수사과로, 보안과로, 정보과로 돌아다니다 수색원 서류 하나만 달랑 제출하고 쫓겨나다시피 나왔다. 그 후 경찰서에서는 어떤 연락도 없었다. 아버지와 어머니는 오빠 주변 사람들은 물론 오빠와 조금이라도 연관이 있는 사람이면 수소문해서 만났다. 하지만 만나는 사람들이 늘어날수록 그들의 얼굴은 어두워져갔다. 어머니는 땅을 파헤쳐서라도 오빠를 찾고야 말겠다고 혼잣말하듯 중얼거리곤 했다.

오빠의 스물여섯번째 생일이 다가오자 그녀는 그동안 모은 돈으로 운동화를 샀다. 새 브랜드였는데, 그녀의 눈에 가장 마음에 들었다. 오빠의 생일 선물이었다. 운동화를 오빠 책상 위에 놓아두면 오빠가 돌아올 것 같았다. 하지만 오빠는 꿈에서만 나타났다. 붉은 저녁노을 속에서 어디론가 한없이 걷고 있었다. 잿빛 하늘 아래서 가지 없는 나무에 매달려 피를 흘리고 있었다. 적막한 들판에서 혀 없는 입을 벌려 들리지 않는 말을 끊임없이 했다. 봄날의 햇살 속에서 피투성이가 되어 누워 있었다. 캄캄한 땅 밑에서 무릎 꿇은 자세로 울고 있었다.

꿈속에서 오빠의 얼굴은 언제나 푸르스름했다. 몸의 윤곽이 너무 희미해 금방이라도 사라질 것 같았다. 그럼에도 오빠에게서 생명의 기운이 느껴지는 것은 오빠의 눈 때문이었다.

그녀를 바라보는 오빠의 눈은 슬펐다. 금방이라도 눈물이 떨어질 것 같았다. 오빠는 간혹 그녀에게 말을 건네곤 했는데, 그녀에게 닿기도 전에 공중으로 흩어졌다. 그럴 때마다 그녀는 새가 되고 싶었다. 새라면 공중으로 흩어지는 오빠의 말을 들을 수 있을 것 같았다. 어쩌면 오빠의 말은 공중으로 흩어지는 것이 아니라 새들의 길을 따라가는지도 모른다는 생각이 들었다.

오빠의 서른번째 생일을 맞은 그해 늦봄, 법무사인 지인의 권유로 아버지와 어머니는 법원을 찾았다. 법원행정처 공무원은 아드님이 행불돼버렸으니 보상금 받으면 부자 되겠소, 하고 말했다. 그날 이후 시름시름 앓던 어머니는 한 달도 채 못 되어 세상을 떠났다. 술을 마시지 않으면 잠을 이루지 못하던 아버지는 이듬해 겨울 어머니의 뒤를 따랐다. 아버지 시신은 공장 숙직실에서 발견되었다. 소주병들이 뒹구는 방 안에서 앉은 채로 죽어 있었다.

아버지가 돌아가신 후에도 그녀는 여전히 오빠를 기다렸다. 오빠가 세상을 떠나는 소리를 듣지 못했기 때문이다. 작별도 하지 않고 떠날 오빠가 아니었다. 간혹 오빠의 텅 빈 방에서 기타 소리가 흘러나오곤 했다. 오빠가 가장 즐겨 친 슈베르트의 「밤과 꿈」이었다. 눈을 감고 선율에 귀를 기울이고 있으면 푸르스름한 달빛과 함께 오빠의 얼굴이 아련히 떠올랐다.

6

검푸른 바다에 은빛 물결이 넘실거린다. 물결의 그림자까지 보인다. 그림자의 색깔은 시시각각 변한다. 물고기 떼가 지나가면 그들의 몸에 반사된 햇빛으로 눈이 부시다. 바다 위로 무언가가 솟구쳐 오른다. 파도가 일면서 하얀 포말이 물의 벽을 이루고 있다. 고래다. 유선형의 기다란 몸이 새처럼 보인다. 고래의 숨결이 느껴진다. 가슴이 뛴다. 고래의 은빛 지느러미가 그녀의 몸 안에서 파닥인다. 새의 날개 같다. 햇살과 바람의 향기가 난다. 새의 날개에서 나는 냄새다. 허기가 인다. 허기는 간절하고 깊다. 날개 없는 몸이 느끼는 영원한 허기다. 거기는 어때? 춥지 않아? 어둡지는 않고? 여긴 너무 추워. 너무 어둡고, 너무 무서워. 그러니 엄마를 안아줘. 너의 따뜻한 몸에 안기면 추위도 어둠도 무서움도 다 사라질 텐데. 고래의 눈동자가 보인다. 눈동자에 그녀가 비친다. 태아처럼 웅크리고 있다. 너를 내 몸 안에 품었을 때, 투명한 꽃 같은 너를 처음 느꼈을 때 얼마나 기뻤는지. 한 생명이 또 하나의 생명을 품는다는 것이 그토록 기쁠 줄은 난 몰랐어. 그런데 이제는 네가 나를 품는구나. 하지만 난 너의 몸속에 오래 있을 수 없어. 너는 먼 여행을 떠나야 하니까. 고래의 눈동자에 눈물이 고인다. 눈동자에 비친 그녀의 모습이 흐려진다. 고래는 천천히 물결 아래로 사라진다.

눈을 뜬다. 천막의 어두운 천장이 보인다. 언제 잠이 들었

는지 알 수 없다. 여기에 온 이후 처음으로 깊이 잠든 것 같
다. 악몽도 꾸지 않았다. 악몽은커녕 가슴 설레는 꿈을 꾸었
다. 방한복을 입고 천막 바깥으로 나온다. 습기 찬 바람이 뺨
에 닿는다. 바다는 거무스레하다. 하늘을 올려다본다. 새벽
빛이 희미하게 배어 있다. 희미하게 밴 새벽빛을 보면서 꿈을
생각한다. 고래가 수면 위로 솟구쳐 오르는 정경이 생생히 떠
오른다. 갖가지 색채들이 눈앞에서 물결친다.

오랜 세월 동안 오빠가 돌아올 것이라는 희망을 품었다. 희
망은 오빠를 대신하는 생명체였다. 그녀가 세상의 끔찍함을
견딘 것은 희망이라는 생명체를 품고 있었기 때문이다. 오빠
의 운동화는 단순한 물건이 아니었다. 생명체의 표징이었다.
그것은 버릴 수 없는 물건이었다. 그럼에도 버려야 한다는 것
을 알고 있었다. 오빠를 보내야 했다. 언젠가부터 오빠를 가
두고 있다는 생각이 들었다. 오빠에게 갇혀 있다는 생각도 들
었다. 그런 생각은 종우가 커갈수록 짙어졌다. 그녀가 오빠
운동화를 새로 산 것은 종우를 통해 오빠를 보내고 싶었기 때
문이다. 오빠의 오래된 운동화는 너무 낡아 신을 수 없었다.

종우 운동화 치수가 오빠 운동화 치수와 같아지기를 기다
리는 동안 그녀는 작별을 연습했다. 그전처럼 두렵지 않았다.
오빠가 떠난 가슴속 빈방을 종우가 채워주리라 믿었다. 수학
여행 가는 날 아침, 종우가 오빠 운동화를 신고 집을 나설 때
기쁘면서도 슬펐다. 오빠와의 작별은 기쁨과 슬픔 속에서 이

루어졌다. 하지만 종우가 오빠 운동화를 신고 그토록 멀리 갈 줄은 꿈에도 몰랐다.

종우야 가거라. 가서 다시는 돌아오지 마라. 엄마도 잊어라. 엄마를 잊지 않으면 죄 많은 땅도 잊지 못할 테니. 시신으로도 돌아오지 마라. 시신으로 돌아온 아이는 시신을 통해, 시신으로도 돌아오지 않는 아이는 시신의 없음을 통해 죄 많은 땅을 비출 테니까. 네가 머나먼 여행을 하는 동안 엄마는 죄 많은 땅을, 너를 사라지게 한 죄의 진창 속을 무릎으로 기어가면서 너를 그리워할 것이다. 그리움의 힘으로 너의 없음을 땅과 하늘 사이에서 쉼 없이 외칠 것이다.

그녀는 등대가 있는 곳으로 천천히 걷기 시작했다.

등불

1

그가 여객선 사고 소식을 처음 들은 것은 문경새재에서였다. 부산항에서 안산 시화공단으로 화물을 싣고 가던 도중이었다. 휴게소에서 늦은 점심을 먹고 있을 때 가까운 식탁에서 사람들이 주고받는 말이 들려왔다. 5백 명에 가까운 승객들이 탄 여객선이 침몰되었는데 구조가 제대로 안 되고 있다는 것이었다. 승객 가운데 수학여행 가던 학생이 3백 명이 넘는다고 했다. 그는 빠르게 잊었다. 그에게 세상일은 어디론가 끊임없이 흘러가는 흐린 영상 같은 것이었다. 아무리 들여다보아도 제대로 보이지 않는.

그날 오후 4시 조금 넘어 시화공단의 한 업체에 화물을 인계한 후 구미공단에 들러 화물을 싣고 부산항으로 오자 밤

10시가 넘었다. 근처 음식점에서 저녁을 겸해 소주를 마신 후 자정 무렵 거처로 들어갔다. 그의 거처는 부산항과 멀지 않은 곳에 위치한 낡은 오피스텔이었다. 하지만 그곳에서 잠을 자는 날은 한 달에 서너 번이었다. 잠자리는 정처가 없었다. 화물 배송지와 도착 시간에 의해 결정되었다. 알선 업체 휴게소와 주유소 휴게소를 비교적 자주 이용했다. 퀴퀴한 냄새가 떠도는 방이지만 그에게는 편했다. 트럭도 심심찮게 잠자리가 되었다.

새벽 4시 조금 넘어 일어난 그는 40분 후 오피스텔을 나왔다. 아침 9시에 인천 남동공단에서 인수해야 할 화물이 있었다. 중부내륙고속도로를 타면서 가속 페달을 자주 밟았다. 그는 알고 있었다. 시속 150킬로미터를 넘게 달리다 보면 정신을 놓을 때가 있다는 사실을. 정신이 돌아오는 순간 그가 모르는 어떤 세계 속으로 들어갔다 나온 듯한 느낌에 사로잡히곤 했다. 간혹 트럭 운전석에 앉은 채 육중한 쇳덩이에 깔려 뭉개진 자신의 육신이 환영처럼 떠오르기도 했다.

아침 9시 조금 넘어 남동공단의 한 업체 화물을 싣고 멀지 않은 곳에 있는 단골 식당으로 향했다. 입구가 가정집 부엌 뒷문처럼 보이는 허름한 식당이었다. 썩 젊지도 않은 여자가 걸음마를 겨우 하는 아이를 키우며 혼자서 식당을 하는데, 값이 싸면서도 음식이 정갈했다. 아이를 남에게 맡기지 않고 할 수 있는 일은 식당뿐이라고 했다.

144

뜻밖에도 식당 문이 잠겨 있었다. 창 안을 들여다보니 불빛이 보이지 않았다. 휴대폰으로 식당 전화번호를 눌렀으나 받지 않았다. 그녀의 휴대폰 번호를 알아두지 못한 것이 아쉬웠다. 옆집 세탁소 노인에게 물어볼까 하다가 관두었다. 노인이 어떻게 생각할지 몰랐기 때문이다. 세탁소 노인은 그녀를 모슬포댁이라고 불렀다. 그녀 고향이 제주 모슬포였다. 언젠가 모슬포댁이 보기 드물게 착한 여자라고 그에게 말한 적이 있다. 그는 못 들은 척했다. 노인이 무슨 의도로 그런 말을 했는지 곰곰이 생각해봤으나 알 수 없었다.

10여 분을 서성이다 인근의 다른 식당에 갔다. 벽에 걸린 텔레비전에서 뉴스가 나오고 있었다. 어두운 바다에 가라앉은 배가 화면에 비쳤다. 배의 앞머리만 바다 위로 삐죽이 나와 있었다. 그의 눈에는 커다란 새처럼 보였다. 화면에 자막이 뜨고 있었다.

─4월 19일 0시 기준 총 탑승 인원 476명, 사망 29명, 실종 273명, 구조 174명.

그는 화면을 멍하니 보았다. 눈빛이 몽롱하고 공허했다. 얼굴에는 표정이 없었다. 그런 상태가 음식이 나올 때까지 계속되었다. 밥을 어떻게 먹었는지 몰랐다. 20여 분 후 식사를 마친 그는 식당 바깥에 우두커니 섰다. 머릿속이 텅 비어 있는 듯한 느낌이었다. 아무것도 생각할 수 없었다. 자신이 서 있는 곳이 어딘지, 트럭을 어디에 세워놓았는지도 알 수 없었

다. 어디론가 가야 해. 그는 중얼거리며 발을 뗐다. 걸음걸이
가 불안정했다. 잠시 후 그는 그녀의 식당 입구에 서 있는 자
신을 발견했다. 거기까지 어떻게 왔는지 기억나지 않았다. 식
당 문은 여전히 잠겨 있었다. 그녀는 어디로 갔을까? 그는 혼
잣말하듯 중얼거리며 눈을 감았다. 그녀가 어렴풋이 떠올랐
다. 그녀의 몸은 짙은 안개에 싸여 있었다. 그는 꼼짝을 하지
않았다. 조금만 움직이면 그녀가 스르르 사라질 것 같았다.
저긴 어디일까? 어디이기에 저토록 멀리 보이는 걸까? 새 날
개 치는 소리가 먼 곳에서 희미하게 들려왔다.

2

그가 그녀의 식당을 다시 찾은 것은 일주일 후였다. 인천
남동공단으로 배송하는 화물이 있었다. 트럭을 식당 근처에
주차했을 때는 오후 3시에 가까웠다. 점심을 걸러 배가 몹시
고팠다. 그녀가 차린 음식들이 눈에 보이듯 떠올랐다. 찰기가
흐르는 밥과 콩나물을 넣고 끓인 된장국, 양파를 섞어 들기름
에 볶은 두부와 새콤한 도라지무침, 그리고 자리젓. 그녀의
식탁에 거의 빠지지 않는 것이 자리젓이었다. 고향 음식이라
고 했다. 모슬포 앞바다는 물살이 거칠어 자리의 육질이 쫄깃
하고 오래 보관해도 변하지 않는다고 자랑스럽게 말했다.

자리젓 냄새가 그녀에겐 아버지 냄새라고 했다. 늘 자리젓

을 안주로 소주를 마시던 그녀 아버지는 술에 취하면 자리젓을 어린 그녀의 입에 넣어주곤 했다는 것이었다. 처음에는 퀴퀴하고 큼큼한 맛이 뱉고 싶을 정도로 싫었지만 자꾸 씹다 보니 몰랐던 맛이 생겨났다고 하면서, 아버지가 돌아가신 후 자리젓 냄새는 어린 시절의 냄새가 되었다고 했다.

식당 문은 그전처럼 잠겨 있었다. 무슨 일이 일어나지 않았다면 그녀가 식당을 일주일씩이나 비워둘 리 없다는 생각이 들었다. 머릿속에서 희뿌연 무언가가 스쳐 지나갔다. 무엇인지는 알 수 없으나 아주 낯설지가 않았다. 가슴이 조이는 듯한 불안이 일면서 발밑이 허전해졌다. 두 발을 딛고 있는 데가 땅이 아닌 듯 몸이 흐느적거렸다. 무릎 아래가 사라진 것 같은 느낌이었다. 금방이라도 쓰러질 것 같았다. 발밑을 살피면서 식당 앞 계단에 겨우 앉았다. 그런 증상이 처음 나타난 것은 시커멓게 불에 탄 채 반쯤 무너진 건물을 보고 있을 때였다. 어린이 캠프에 참가한 딸의 숙소였다.

그는 딸이 죽었다는 사실을 오랫동안 받아들이지 못했다. 겨우 여섯 살이었다. 여섯 살 아이가 그렇게 죽을 수 있다는 사실이 믿기지 않았다. 소풍을 간다고 했다. 하룻밤만 자고 온다고 했다. 숙소는 콘크리트 1층 건물 위에 전기 배선도 제대로 안 된 컨테이너를 얹어 2, 3층 객실을 만든 허술한 건물이었다. 불은 새벽 1시 전후에 났다. 불길에 휩싸인 컨테이너가 구겨지듯 무너진 것은 컨테이너 하중을 지지하는 기둥이 없었기 때문이다. 컨테이너와 합판 사이에 방염 처리가 되지 않은 전선을 쓴 데다 50여 대의 에어컨까지 설치해 전기 합선과 누전의 가능성을 높였다. 소방 설비도 제대로 되어 있지 않았다. 그나마 있는 소화기들은 사용할 수 없는 것들이었다. 딸이 잠든 3층 컨테이너 숙소의 문은 잠겨 있었다. 문을 잠근 이들은 멀지 않은 곳에서 술 파티를 하고 있었다. "살려주세요, 구해주세요" 하는 가냘픈 목소리와 함께 벽을 긁는 소리가 들려왔다고 했다. 한 시간여 뒤 소방관들이 문을 따고 들어가니 불에 탄 아이들의 몸은 뼈만 남아 있었다.

"여보게."

목소리와 함께 누군가가 그의 어깨를 흔드는 것 같았다. 고개를 드니 세탁소 노인이었다.

"아이고, 이제 왔구먼. 자네 오길 얼마나 기다렸는데……"

노인은 그의 손을 잡으며 탄식하듯 말했다.

"그래, 모슬포댁이 그 배를 탔는가?"

그는 노인이 무슨 소리를 하는지 알 수가 없어 멍하니 보고만 있었다.

"아, 그날 자네가 모슬포댁을 인천항에 데려다준다고 트럭에 태우지 않나."

"제가요?"

그가 여전히 멍한 표정으로 묻자 노인은 의아한 시선으로 그를 보았다.

"왜 그 사람이 인천항으로 갔어요?"

"모슬포댁이 말했잖아. 아버지 기일이 그다음 날이라고. 기억 안 나?"

"아, 그랬지요. 그날 아버지가 돌아가셔서 고아가 되었다면서……"

"그 이야긴 못 들었지만, 암튼 자네가 모슬포댁을 인천항에 데려다줬잖아?"

"맞아요. 기억나요. 트럭에 탄 그 사람이 말했어요. 한 시간 만에 닿는 비행기보다 물결에 흔들리며 고향으로 느릿느릿 다가가는 배가 훨씬 좋다고."

"근데……"

노인의 얼굴이 어두워졌다.

"그 배의 승객 명부에 모슬포댁 이름이 없어. 내가 회사에 가서 직접 확인했어. 거기에 잘 아는 사람이 있거든."

"회사라뇨?"

"진도 앞바다에 가라앉은 그 배 회사 말일세."

"그 사람이 그 배에 탔단 말이에요?"

그는 눈을 크게 뜨며 물었다. 그녀가 떠나는 날 그는 안산 시화공단으로 가는 화물을 배송한 후 그녀 식당으로 갔다. 그녀를 태우고 인천항 여객 터미널로 가는데 마음이 허전했다. 그녀가 아주 먼 곳으로 가는 느낌이었다. 아이는 그녀가 멘 배낭식 포대기 안에서 새근새근 자고 있었다.

"자네가 모슬포댁을 인천항으로 데려다준 그날이 사고 난 배가 출항한 날이야. 안개 때문에 두 시간 늦어지긴 했지만."

노인의 말에 그의 안색이 하얘졌다. 안개 자욱한 인천항 연안 부두가 어렴풋이 떠올랐다. 안개에 묻힌 그녀의 몸이 흐릿했다. 아주 오래된 풍경 같았다. 너무 오래되어 꿈속의 풍경처럼 느껴졌다.

"그럴 리가…… 그건 아주 오래전인데……"

믿기지 않았다. 꿈에서 일어난 일이 꿈 바깥으로 튀어나온 것 같았다.

"아니, 이 사람이……"

노인은 기가 막힌다는 표정으로 그를 보았다.

"승객 명단에 그 사람 이름이 없다면서요!"

"그래서 자넬 기다린 게야. 그날 모슬포댁이 혹시 배를 타지 않았나 해서."

"터미널 건물 앞까지만 짐을 들어줬어요. 그 사람이 혼자 가도 된다고 하기에……"

"그럼 탔겠군. 하긴 타지 않았으면 지금까지 돌아오지 않을 리 없지."

"그 배에 타지 않았다면……"

그는 혼잣말하듯 중얼거렸다.

"사흘 후에 돌아왔겠지요."

그녀는 그에게 사흘 후 돌아온다고 말했다.

"그런데 왜 그 사람 이름이 없다고 해요?"

그의 물음에 노인은 한숨을 쉬었다.

"회사 직원 말로는 유료 승객이 아닌 승선자의 신원은 확인이 안 될 수 있다는 거야. 어떻게 무료로 탈 수 있느냐고 물었더니 승무원이나 선사 관계자와 친분이 있는 사람들이 더러 그렇게 탄다고 하더군. 선박 회사 사람들이 모슬포댁 식당에 종종 오곤 했어. 더 알아볼 방법이 없느냐고 물었더니 진도로 가보라고 해. 거기에 가면 그들이 모르는 정보를 들을 수 있을지 모른다면서……"

노인의 주름진 얼굴에 근심이 가득했다.

3

어린 딸을 조금이라도 편안히 보내고 싶었다. 참혹한 죽음이었기에 마음이 더욱 간절했다. 하지만 딸의 죽음에 진심으로 책임지는 사람이 없었다. 한 사람이라도 있었다면 딸은 천사와 같은 미소를 지으며 떠날 수 있을 것 같았다. 죽음에 책임이 있는 자리의 사람에게서 "내가 당신 아이를 죽였느냐?"라는 말을 들었을 때 정신이 아득했다. 그럼에도 세상은 아무런 일도 일어나지 않은 것처럼 흘러갔다.

딸의 장례를 치른 것은 아이가 죽은 지 한 달이 넘어서였다. 그동안의 일들이 악몽처럼 느껴졌다. 악몽에서 깨어나면

딸이 방긋 웃으며 '아빠 어딜 갔다 왔어?' 하고 물을 것 같았
다. 세상의 풍경이 그 전과 다르게 보였다. 잿빛 막 속에 있는
듯했다. 가까이 가면 잿빛 막이 출렁였다. 출렁이는 잿빛 막
의 풍경 속에서 딸과 딸 또래 아이들의 경계선이 희미해졌다.
딸인 듯해서 달려가면 딸이 아니었다. 딸이 아닌 아이가 어느
순간 딸로 변했다. 그를 부르는 딸의 목소리가 들려오기도 했
다. 딸이 불 속에서 엄마 아빠를 부르며 우는 꿈을 자주 꾸었
다. 어처구니없게도 깨어난 직후에는 꿈이었음에 안도하면
서 자기 방에서 새근새근 자고 있을 딸을 떠올리며 행복감에
젖어들기도 했다. 며칠 전의 일인데도 오래전의 일처럼 느껴
졌고, 오래전의 일이 방금 일어난 일처럼 생생하게 다가왔다.
삶이 으깨지는 동안 시간 감각도 함께 으깨진 것 같았다.
    아내는 숨을 쉴 수 없다면서 가슴을 자주 쥐어뜯었다. 자신
에게서 역겨운 냄새가 난다고 했다. 기분이 조금이라도 좋아
지면 죄스럽다고 했다. 딸의 얼굴이 생각나지 않는다고 했다.
귓전을 늘 맴돌던 딸의 목소리도 들리지 않는다고 했다. 딸이
뜨거운 석탄 위에 서 있는 꿈을 자주 꾼다고 울며 말했다. 어
느 날은 갑자기 눈이 보이지 않는다고 새파랗게 질린 얼굴로
말했다. 처음에는 믿기가 힘들었다. 멀쩡한 눈이 안 보일 까
닭이 없었다. 의사는 전환장애라고 했다. 마음의 깊은 상처
가 신체 이상으로 나타나는 병으로, 사람에 따라 증세가 다양
하다고 했다. 눈이 안 보이기도 하고, 귀가 안 들리기도 하고,

손발이 떨리면서 감각이 없어지기도 한다는 것이다.

딸의 1주기를 치른 지 며칠 되지 않았을 때였다. 오래되어 푹 꺼진 거실 소파에서 태아처럼 웅크린 채 등을 보이며 누워 있던 아내가 문득 바이칼호수에 가고 싶다고 혼잣말하듯 중얼거렸다.

"거긴 왜?"

그가 묻자 아내는 그를 향해 돌아누웠다.

"깊은 곳이니까."

"얼마나 깊은데?"

"서해의 평균 수심이 얼만지 알아?"

"글쎄⋯⋯"

"45미터야. 그런데 바이칼호수는 744미터야. 가장 깊은 곳은 1,742미터고."

"정말 깊네."

"물이 맑아서 40미터 바닥의 수초가 환히 보인대. 영양분이 그만큼 적기 때문에 거기에 사는 갑각류는 먹이가 되는 것이면 남겨두지 않아. 만약 사람이 그 호수에 빠지면 한 달 뒤에는 아무것도 남지 않는대. 시신이 완전히 사라지는 거야. 완전히⋯⋯"

그는 더 이상 묻지 않았다. 아내도 침묵했다. 아내가 자살할지도 모른다는 생각이 든 것은 아내의 침묵 속에서였다. 그는 놀라지 않았다. 그 역시 그런 생각을 했으니까. 하지만 그는 자신이 자살을 못 하리라는 것을 알고 있었다. 두려움 때문만은 아니었다. 딸이 슬퍼할 것 같았다. 왜 엄마를 버려두고 왔느냐고 원망하는 딸의 얼굴이 보이는 듯했다.

그날 이후 아내의 자살에 대한 생각이 그를 떠나지 않았다. 그는 자살을 해서는 안 되는 일이라고 생각하지 않았다. 딸의 죽음을 겪기 전에는 그에게 죽음이란 삶과 분리된, 삶 너머에 있는 어떤 것이었다. 하지만 딸의 죽음이 삶의 중심을 관통하면서 삶과 죽음의 경계선이 무너졌다. 서로가 뒤섞인 채 부유하고 있었다. 삶을 응시하면 죽음이 보였다. 죽음은 삶의 심연에서 태아처럼 숨 쉬고 있었다. 그것을 바라보고 있으면 바이칼호수 아래로 가라앉는 아내의 모습이 어렴풋이 떠올랐다.

아내가 자살한 것은 그로부터 석 달이 조금 못 되어서였다. 늦가을이었다. 아내는 바이칼호수로 가지 않았다. 갈 힘이 없었을 것이다. 아내를 바이칼호수로 데려다주고 싶은 충동이 간혹 일었다. 하지만 그에게도 아내를 거기까지 데려다줄 힘이 없었다.

아내는 강원도 백운산 자락을 흐르는 강물에 자신의 몸을 가라앉혔다. 불에 타 죽은 딸을 맑고 차가운 강물 속으로 데려가고 싶었을 것이라고 생각했다. 그러니 아내는 홀로 투신하지 않은 셈이다. 아내의 시신은 의외로 깨끗했다. 손과 발이 조금 붓고 이마에 연한 멍이 생겼을 뿐이었다. 잠자는 듯한 모습이었다. 아내는 유서에서 그를 혼자 두고 떠난 자신을 부디 용서해달라고 하면서, 떠나는 것을 허락해주어서 고맙다고 했다. 다른 말은 없었다.

아내를 화장한 후 딸의 곁에 두었다. 이제 딸이 외롭지 않을 것이란 생각과 함께 딸과 아내를 제대로 기억해줄 사람은 자신밖에 없다는 생각이 들었다. 두려웠다. 그가 짊어져야 할 죽음의 무게를 가늠할 수 없었기 때문이다.

4

부산으로 내려가는 길은 쓸쓸했다. 캄캄한 길이 끝나지 않을 것 같은 느낌이었다. 삶도 죽음도 아닌 곳에 영원히 묻힐 것 같았다. 가속 페달을 밟았다. 속도가 몸으로 느껴졌다. 눈을 감았다. 닫힌 눈꺼풀 너머 자신의 몸이 산산조각 나는 광경이 떠올랐다. 산산조각이 난 몸 앞에서 울고 있는 사람이 있었다. 그녀 같기도 하고 아내 같기도 했다. 눈물에 젖은 얼굴이 희미하게 보였다. 그녀의 얼굴과 아내의 얼굴이 섞여 있는 것 같았다.

그녀를 처음 본 것은 작년 1월이었다. 부산항에서 실은 화물을 인천남동공단에 내려놓았다. 일이 한꺼번에 몰려 사흘 동안 잠을 제대로 못 잤다. 밥도 제대로 먹지 못했다. 트럭을 어딘가에 세워놓고 식당을 찾기 위해 주위를 두리번거리며 걸었다. 걸음을 멈춘 곳은 간판에 '가정식 백반 전문'이라는 글자가 새겨진 허름한 음식점이었다. 무엇이 걸음을 멈추게 했는지 지금도 확실히 알지 못한다. 어쩌면 음식점 입구가 가정집 부엌 뒷문처럼 소박해 보였기 때문인지 모른다.

문이 잘 열리지 않았다. 간신히 문을 열고 안으로 들어갔다. 실내는 어둑했다. 창으로 스며드는 어스레한 빛이 실내의 어둠을 겨우 밝혔다. 어렴풋한 빛 속에 한 여자가 자신의 젖을 빠는 아이를 내려다보고 있었다. 아이의 작은 얼굴이 젖가슴에 포근히 묻혀 있었다. 그는 꼼짝도 않고 여자와 아이를 응시했다. 딸에게 젖을 물린 아내가 떠올랐다. 까맣게 잊고 있던 모습이었다. 언제부터 잊었는지도 기억나지 않았다. 아내의 모습이 그렇게 어디론가 사라져가는 줄조차 몰랐다. 불현듯 그녀에게 묻고 싶은 충동이 일었다. 물속으로 가라앉으면서 아내가 무슨 생각을 했는지, 죽음의 순간에 아내가 본 것이 무엇인지. 그는 모르지만 아이에게 젖을 물리고 있는 그녀는 알 것 같았다.

눈을 번쩍 떴다. 속도계 바늘이 2백 킬로미터를 넘어서고 있었다. 브레이크를 밟았다. 몸이 앞으로 쏠렸다. 바늘이 빠르게 내려갔다. 갈증이 일었다. 목구멍에서 나는 갈증이 아니었다. 그보다 훨씬 깊숙한 곳에서 솟아오르는 갈증이었다. 트럭을 갓길에 세웠다. 도로는 텅 비어 있었다. 트럭에서 내렸다. 서늘한 바람이 뺨을 쓸었다. 바람 속에서 마른풀 냄새가 났다. 하늘을 올려다보았다. 별들이 희미하게 빛나고 있었다. 시간이 지나면 별들도 죽는다고 했다. 별들이 죽는 과정을 상상해보려고 애썼다. 아득했다. 주머니에 손을 넣었다. 칼이 손에 닿았다. 가죽 케이스에 싸인 칼은 따뜻했다.

회사를 그만둔 것은 아내의 장례를 치른 다음 날이었다. 규모가 큰 무역회사였다. 딸의 죽음 이후 회사 다니는 일이 많이 힘들었다. 일하는 목적이 사라졌다. 그러니 집중이 되지 않았다. 동료들의 시선이 불편했다. 그들과 함께 있을 때 어떤 표정을 지어야 할지 몰랐다. 위로의 말을 듣는 것도 괴로웠다. 위로가 전혀 되지 않는데 위로의 말을 건네는 그들이 낯설었다. 어떤 이들은 빨리 잊으라고 진심 어린 목소리로 말했다. 딸의 죽음 이후 시간 감각이 허물어진 사실을 그들은 모르고 있었다. 그럼에도 견딘 것은 아내 때문이었다. 일상이 철저하게 무너진 아내에게 자신마저 무너진 모습을 보이면 안 될 것 같았다.

회사를 그만둔 후 차를 몰고 정처 없이 떠돌았다. 주로 강을 찾아다녔다. 강을 내려다보며 술을 마셨고, 강물 흐르는 소리를 들으며 혼몽 속으로 빠져들었다. 혼몽 속에서 자신의 울음소리가 귓속으로 흘러들어 오곤 했다. 떠돌다 지치면 집에 들어와 죽은 듯이 잤다. 눕기만 하면 잠이 쏟아졌다. 밤과 낮의 구별이 없었다. 허기도 잠을 이기지 못했다. 허기를 느끼면서 잤다. 끼니를 거르기 예사였다. 밥을 먹은 지가 언제

인지 기억할 수 없었다. 잠 속으로 흘러들어 오는 시간이 어렴풋이 느껴졌다. 시간은 작은 물줄기처럼 소리 없이 흘러 다니다 어디론가 사라져갔다. 사라져가는 시간을 바라보는 시선이 있었다. 누구의 시선인지 알 수 없었다. 그의 시선 같기도 했고, 아내의 시선 같기도 했고, 그가 모르는 어떤 존재의 시선 같기도 했다.

그러던 어느 날이었다. 잠에서 깨어나니 껍질만 남은 존재가 덩그렇게 누워 있었다. 옷을 입고 집을 나왔다. 그가 찾아간 곳은 나이프 가게였다. 수많은 종류의 칼이 진열되어 있었다. 하나하나 세심하게 살폈다. 한 시간쯤 후 수제품 스위스제 칼을 들고 계산대로 갔다. 집에 들어와 욕조에 뜨거운 물을 받았다. 그동안 수없이 상상했다. 자신의 몸에서 피가 빠져나가는 모습을. 차가운 강물 속으로 가라앉는 아내의 모습과 겹쳐 떠올랐다. 칼을 욕조 턱에 놓고 물속으로 들어갔다. 다리를 죽 뻗고 눈을 감았다. 강의 심연에 누워 있는 아내의 몸이 보였다. 아내의 몸은 푸르게 빛났다. 푸르게 빛나는 아내의 몸이 금방이라도 움직일 듯했다. 물고기처럼 유영하거나 새처럼 날아오를 것 같았다. 욕조 턱을 더듬었다. 칼이 손에 잡혔다. 금속의 감촉이 따뜻했다.

등불을 켜는 아내의 모습이 떠오른 것은 칼끝으로 손목의 푸른 동맥을 더듬고 있을 때였다. 아내는 밤마다 딸의 방에서 등불을 켰다. 딸이 깜깜한 방에서 혼자 자기 무섭다고 해서

사 온 것이었다. 그는 자신이 딸의 등불을 한 번도 켜준 적이 없다는 사실을 깨달았다. 칼을 욕조 턱에 가만히 내려놓았다.

그날 밤 등불을 켠 딸의 방에서 잤다. 꿈에 백합 다발을 가득 안고 있는 아내가 보였다. 딸은 보이지 않았다. 잠에서 깨어나니 가슴에 못이 박힌 듯 아팠다. 아내가 백합 다발을 안고 있는 동안 딸은 어디에 있었는지, 못 견디게 궁금했다. 다음 날 그는 욕조에 물을 받지 않았다. 그다음 날도 그랬다. 사흘째가 되자 죽음의 에너지가 자신에게서 빠져나갔다는 사실을 깨달았다. 자신이 더 살기를 욕망했는지 생각해보았다. 그렇지는 않은 것 같았다. 욕망이나 의지와는 아무런 상관이 없는 어떤 우연의 작용인 듯했다. 그날 이후로 칼을 늘 몸에 지니고 다녔다. 깜박 잊고 나오면 허전하고 불안했다.

트럭에 올랐다. 오르기 전에 하늘을 다시 쳐다보았다. 별들이 조금 전보다 더 흐려 보였다. 누군가가 켜놓은 등불이 못 견디게 그리울 때 밤하늘을 올려다보곤 했다.

그에게 추억은 가슴에 깊이 박힌 가시 같은 것이었다. 그 가시를 뺄 수 없음을 알고 있었다. 그럼에도 가시 없는 존재를 꿈꾸었다. 그러기 위해서는 자신을 바꾸어야 했다. 돌이켜보면 죽음의 에너지가 자신에게서 빠져나갔음을 깨닫는 순간 이전의 삶으로 돌아갈 수 없으리라 예감한 것 같았다. 그가 화물 트럭 운전사가 되면서 연고가 전혀 없는 부산으로 거처를 옮긴 것은 자신을 바꾸기 위함이었다. 어떤 이도 그가 누구인지 모르는 사람이 되고 싶었다. 타인에게 자신이 유령이기를 바랐다. 누구도 눈여겨보지 않는, 있는지조차 모르는. 그런 바람에 균열이 생긴 것은 그녀를 만나면서였다.

작은 식당 안에 있으면서 그녀의 두 눈은 늘 먼 곳을 보는 듯했다. 그녀의 시선이 그를 스치면 가슴이 설렜다. 그는 까맣게 몰랐다. 누군가로 인해 잊고 있던 아내의 모습을 떠올리게 될 줄을. 아내의 죽음에 대해 묻고 싶게 될 줄은 더더욱 몰랐다. 오랫동안 끊어진 삶의 기척이 그렇게 다가오고 있었다. 그녀에게만은 유령이 되고 싶지 않았다. 그럼에도 그런 감정을 나타내지 않으려 노력했다. 낯설고 어색한 데다 죄스러운 마음까지 들기 때문이었다. 그녀는 간혹 그를 보며 미소를 짓곤 했는데, 그의 마음을 환히 들여다보면서 짓는 미소처럼 느껴졌다.

식당을 출입한 지 1년이 조금 넘은 2월 어느 날이었다. 부산에서는 흐리기만 했는데 김천을 지나면서 눈이 내리기 시작하더니 충주에 이를 무렵에는 폭설로 변했다. 폭설은 인천까지 이어졌다. 그런 폭설 속에서도 가속 페달을 자주 밟았다. 길이 허공으로 올라가는 듯한 느낌 때문이었다. 사고의 위험이 느껴졌으나 개의치 않았다. 사고가 난다면 그것 역시 우연의 작용일 뿐이라고 생각했다. 목적지에 도착했을 때 허공에 떠 있던 길이 신기루처럼 사라졌다.

그녀의 식당에 들어간 것은 저녁 9시 넘어서였다. 그렇게 늦은 시간은 처음이었다. 그녀는 놀란 표정으로 그를 맞았다. 손님이 몇 있었다. 식사와 함께 소주를 시켰다. 폭설 속으로 다시 들어가고 싶지 않았다. 근처에 있는 찜질방에서 자면 되지, 생각했다. 그가 주머니 속에서 칼을 꺼낸 것은 자리젓을 안주로 소주를 두 병째 마시고 있을 때였다. 무슨 까닭으로 그것을 꺼냈는지 알 수 없었다. 주머니에 손을 넣을 때도 의식하지 못했다. 취기 속에서 한 무의식적 동작이었을 것이다.

"칼이 참 예쁘네요."

주방에 있던 그녀가 어느새 옆에 와 있었다.

"그렇게 보여요?"

"네."

"제가 이 칼을 산 것은……"

강물의 물살 소리가 들려왔다. 그를 혼몽 속으로 빠뜨린 소리였다. 혼몽은 그에게 어디론가 흘러가다 사라지는 시간을 보여주었다. 그가 정말 보고 싶었던 것은 시간 너머의 풍경이었다.

"세상을 떠나기 위함이었어요. 하지만 아시다시피 아직 못 떠나고 있어요. 그래서 늘 품에 지니고 다니지요."

말을 하면서도 '내가 왜 이런 말을 하지?' 하고 생각했다. 자신이 말하는 것이 아니라 그가 모르는 어떤 존재가 말하는 것 같았다. 그녀가 어떻게 받아들일지 불안했다. 차가운 돌계단 위에 벌거벗고 서 있는 기분이었다. 시선을 내려뜨렸다.

그녀를 바로 볼 수 없었다. 뱉은 말을 주워 담고 싶었다.

"왜 그런 생각을 하셨어요?"

다정함이 느껴지는 목소리였다. 시선을 들었다. 언제나 먼 곳을 보는 듯한 그녀의 두 눈이 가만히 그를 응시하고 있었다. 눈이 깊고 맑았다. 그녀의 눈이 그렇게 깊고 맑은 줄은 미처 몰랐다. 몸이 따뜻해졌다. 캄캄한 가슴속에 따뜻한 불이 켜진 듯했다. 왜 세상을 떠나려 했는지, 그녀에게 말하고 싶은 충동이 일었다. 하지만 불가능하게 느껴졌다. 머릿속에 첩첩이 쌓인 기억들을 표현할 말을 찾을 자신이 없었다. 설사 찾는다 해도 그 말들을 제대로 연결할 수 없을 것 같았다.

"힘드시면 하지 마세요."

그녀의 말에 그는 고개를 끄덕였다.

"저도 외출할 때 늘 품에 지니는 것이 있는데, 보여드리고 싶어요."

그녀는 일어나 내실로 들어가더니 잠시 후 나왔다.

"이거예요."

그녀가 내민 것은 작은 사진이었다. 캄캄한 배경에 물결처럼 움직이는 듯한 흰색의 가느다란 선들이 보였다. 선들의 중앙에는 선보다 좀더 명료해 보이는 하얀 점이 있었다.

"제 아이의 첫 모습이에요."

목소리가 청량하게 튀어 올랐다.

"전 배가 불룩한 제 모습을 자주 상상했어요. 아이에게 젖

162

을 물리는 모습도 상상했고요. 늦긴 했지만 운이 좋았어요. 의사가 모니터에 보이는 흰 점을 가리키며 아기라고 말했을 때 너무 기뻐 몸이 둥둥 뜨는 것 같았어요. 세상에서 가장 아름다운 정원을 가진 듯한 기분이었어요. 이 사진이 모니터에 나타난 그 모습이에요."

그녀의 입가에 미소가 번졌다. 누군가의 얼굴이 떠올랐다. 낯설면서도 낯익은 얼굴이었다. 아기집을 보고 있는데 신비스러운 꽃을 보는 느낌이 들었어. 아내의 목소리였다. 당신 한번 생각해봐. 내 몸 안에 신비스러운 꽃이 너울거리고 있는 광경을 말이야. 봄날의 햇살처럼 화사한 아내의 목소리가 귓전을 울렸다. 아내가 병원에서 배 속의 생명을 처음 보고 온 날이었다.

"무얼 생각하세요?"

그녀의 목소리에 상념에서 깨어났다.

"옛날 생각이 나서요."

"좋은 기억이 아닌 것 같네요."

"무척 좋은 기억이에요."

"그런데 얼굴이 왜 슬퍼 보여요?"

"돌아보니까요."

그는 쓸쓸히 웃었다.

"저…… 부탁이 하나 있어요."

머뭇거리는 듯한 그녀의 말에 가슴이 설렜다.

"이 칼…… 저에게 맡겨주시면 안 될까요?"

그녀는 칼을 내려다보며 조심스럽게 말했다.

"왜요?"

"제가 갖고 싶어서요."

그는 그녀를 물끄러미 보았다. 그녀의 얼굴 속에 아내의 얼굴이 어른거렸다. 아내의 얼굴 너머 투명한 빛이 보였다. 백합이었다. 눈물이 핑 돌았다. 가로수 잎들이 바람에 지던 11월 어느 날, 외출한 아내가 백합 다발을 가득 안고 들어와 눈처럼 흰 화병에 담아 그의 방 창가에 놓았다. 그것이 아내의 마지막 선물임을 그때는 까맣게 몰랐다.

"생각해볼게요."

그의 말에 그녀는 환히 웃었다.

5

세탁소 노인에게서 전화가 온 것은 그녀의 식당 앞에서 만난 지 일주일 후였다. 구미공단에서 화물을 싣고 있을 때였다. 노인은 대뜸 뉴스를 봤느냐고 물었다. 어떤 뉴스냐는 그의 물음에 희생된 학생의 휴대폰에서 배가 기울어지기 시작할 즈음에 아기까지 울어 미치겠다는 학생의 목소리가 담긴 동영상이 나왔다고 했다.

"사고 당일 9시쯤 찍은 동영상이래. 그뿐이 아니야. 구조에 참여한 어떤 민간 잠수사가 선실을 수색하다가 아기 젖병을 봤다고 증언했어. 우유가 반이나 남아 있더래. 내가 알아봤는데 승객 명부에는 그렇게 나이가 어린 아이를 데리고 탄 승객이 없어. 난 그 젖병이 모슬포댁 아이의 것처럼 느껴져."

그날 저녁 인터넷을 검색했다. 노인의 말이 맞았다. 사고대책본부 대변인이 진도군청에서 열린 브리핑에서 "배 안으로 들어간 잠수사가 유아용 젖병을 보았다고 증언했으며, 아직 수거되거나 확인되지는 않았다"고 밝혔다.

그동안 그는 뉴스를 외면했다. 식당에 들어갔다가 텔레비전에서 여객선 침몰 뉴스가 나오면 바로 나와버렸다. 아이 잃은 부모의 모습을 보는 것이 두려웠다. 과거의 기억 속으로 빨려 들어가 헤어 나오지 못할 것 같았다. 그뿐만이 아니었다. 여객선 침몰 뉴스는 아이와 함께 바닷속에 잠겨 있을 그녀의 모습을 생생히 떠오르게 했다.

그녀는 그에게 죽은 자가 아니었다. 사라졌을 뿐이었다. 산자라고 할 수도 없었다. 그녀는 삶과 죽음 사이를, 그 자욱한 안개 속을 떠도는 존재였다. 그의 의식도 그녀를 따라 삶과 죽음 사이를 떠돌았다. 그에게는 낯선 떠돎이 아니었다. 오래전부터 그렇게 떠돌았다. 트럭 안이 관처럼 느껴져도 조금도 이상하지 않았다. 가속 페달을 밟고 있을 때는 백합 향기가 콧속으로 스며들곤 했다.

다음 날 오후 2시 부산항에서 화물을 실었다. 시화공단과 남동공단으로 배송하는 화물이었다. 시화공단을 먼저 들렀다. 남동공단에서 화물을 인계하고 나왔을 때는 거리에 어둠이 깔리고 있었다. 저녁 먹을 시간이었다. 트럭을 세워놓고 그녀의 식당으로 갔다. 그녀가 돌아와 있을지도 모른다는 눈먼 희망이 그의 등을 떠밀었다. 문은 여전히 잠겨 있었고, 식당 안은 캄캄했다. 꿈에 그녀의 식당이 자주 나타났다. 어둡고 축축한 땅속에 있거나 거무스레한 물속에 있었다. 그녀의 두 손은 검었고, 얼굴은 서리에 덮여 있었다. 아이는 보이지 않았다. 보이지 않는 아이를 찾아 꿈속을 두리번거렸다.

휘적휘적 걸었다. 어디로 간다는 의식이 없었다. 눈앞의 풍경이 안개에 싸인 듯 흐릿했다. 사람과 건물 들이 형태와 무게를 잃고 뒤섞인 채 기체처럼 떠도는 것 같았다. 거기에서는 어떤 소리도 들려오지 않았다. 깊은 적막이 기체처럼 떠도는 풍경을 에워싸고 있는 듯했다. 저 멀리 있는 보이지 않는 바다가 느껴졌다. 그 바닷속에서 작은 불빛의 모습으로 떠돌아다니는 혼들도 느껴졌다. 허기가 일었다. 격렬한 허기였다. 가까운 식당에 들어가 자리젓이 있느냐고 물었다. 주인인 듯한 남자가 그를 경계하는 눈빛으로 보며 고개를 저었다. 그곳을 나와 근처에 있는 다른 식당으로 들어갔다. 자리젓이 있느냐고 물었더니 없다고 했다. 일곱번째 들어간 식당에서 주인 아주머니가 자리젓이 있는 데를 알려주었다.

그가 눈을 떴을 때 주위가 어두웠다. 눈꺼풀이 무거워 눈이 자꾸만 감겼다. 오랫동안 깊이 잔 느낌이었다. 어슴푸레한 빛이 유리창으로 스며들고 있었다. 트럭 지붕이 희미하게 보였다. 시계를 보았다. 새벽 3시가 넘어 있었다. 혼란스러웠다. 지금이 왜 새벽 3시인지 이해가 되지 않았다. 알 수 없는 곳으로 굴러떨어진 기분이었다. 힘겹게 일어나 바깥으로 나왔다. 하늘이 어두웠다. 구름이 달을 가리고 있었다. 느낌이 이상했다. 눈에 잡히는 풍경이 낯설었다. 주위를 살피던 그는 그곳이 서해안고속도로 서산휴게소 주차장이라는 사실을 알고 깜짝 놀랐다. 자리젓을 안주로 소주를 마신 기억은 났으나 식당에서 언제 나와 트럭을 탔는지, 인천에서 한 시간은 족히 걸리는 여기까지 어떻게 운전해서 왔는지, 트럭에서 얼마나 잠을 잤는지, 아무것도 기억나지 않았다. 시간이 뭉텅 잘려 나간 것 같았다. 게다가 부산으로 가려면 중부내륙고속도로를 타야 하는데, 무슨 생각으로 서해안고속도로로 들어와 서산휴게소에 왔는지, 도무지 알 수가 없었다. 눈을 감고 기억을 더듬어보았다. 머릿속이 캄캄했다. 형체가 불분명한 풍경의 조각들이 캄캄한 머릿속을 소리 없이 흘러 다닐 뿐이었다. 갈증이 일었다. 입안에 모래가 가득 차 있는 것 같았다.

자판기가 있는 휴게소 건물 쪽으로 터벅터벅 걸었다. 언젠가부터 종종 자신의 육신에 수치심이 일었다. 육신이 그에게 끊임없이 요구하는 욕망에 대한 수치심이었다. 수치심이 깊어지면 시선이 느껴졌다. 그것이 죽음의 시선인 줄 처음에는 깨닫지 못했다. 죽음의 시선은 그의 내면 깊숙이 파고들어 와 그의 존재와 그가 영위하는 삶 전체를 낯설게 만들었다.

자판기에서 뽑은 생수를 마시고 있는데 주위가 밝아지고 있었다. 구름 사이로 달이 나타난 것이었다. 우두커니 서서 환해지는 하늘을 올려다보았다. 구름 너머 검푸른 허공에 총 총히 박혀 있는 별들이 눈에 닿았다. 웃음소리가 들렸다. 아이들의 웃음소리였다. 아이들이 보였다. 두 아이였다. 꿈에서 본 아이들이었다. 트럭에서 꾼 꿈이었다. 아이들의 몸은 허공에 있었고, 그림자가 보이지 않았다. 즐거운 놀이를 하는 듯한 아이들은 서로에게 투명하게 스며들었다. 투명하게 스며드는 아이들의 몸이 눈부셨다. 연푸른 별들이 그들의 눈부신 몸을 비추고 있었다. 눈시울이 뜨거워졌다.

그녀는 음식을 만들거나 설거지를 하는 동안 그에게 아이를 맡기곤 했다. 아이는 그의 품을 낯설어하지 않았다. 방긋방긋 웃기까지 했다. 아이를 안고 있으면 딸에 대한 기억이 아련히 떠올랐다. 까맣게 잊고 있던 기억이었다. 아이의 살에서 딸의 살내음이 났다. 아이의 맑은 눈동자에서 딸의 맑은 눈동자가 보였고, 아이의 웅얼거리는 소리에서 딸의 웅얼거리는 소리가 들렸다. 아련한 기억 속에 빠져 있다가 시선이 느껴져 고개를 들면 미소를 머금고 있는 그녀의 얼굴이 꿈처럼 다가왔다.

눈물이 주르르 흘렀다. 왜 서해안고속도로를 탔는지 알 것

168

같았다. 세탁소 노인을 만난 이후 잠자리에 들면 똑바로 누워 눈을 감고 양팔을 가슴에 얹은 자세를 자주 취했다. 죽은 사람의 자세였다. 외로움을 견디는 좋은 방법이었다. 그녀가 제주도에서 돌아오면 칼을 맡기려 했다. 죽음을 그녀에게 맡기고 싶었다.

달빛이 한층 밝아졌다. 달 주위에 엷게 끼어 있던 구름이 걷히고 있었다. 트럭에 올랐다. 시계를 보았다. 4시가 다 되어가고 있었다. 진도에 도착하면 아침이 될 것이다. 그 시각에 꽃을 살 수 있을지 걱정스러웠다. 백합 다발을 가득 안고 항구로 가고 싶었다. 시동을 걸었다. 길이 떠올랐다. 처음 가는 길이었다. 그녀를 만난 것은 길에서였다. 처음 가는 길에서 누구를 만나게 될지 가슴이 설렜다. 길 너머에서 누군가가 손을 흔들고 있었다. 손은 빛처럼 희었다.

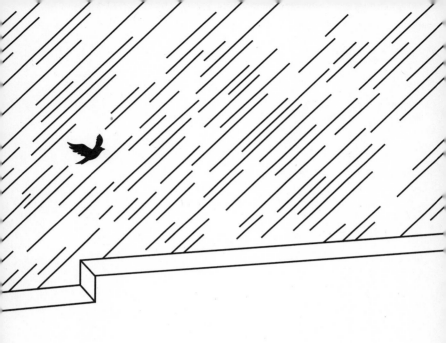

카일라스를 찾아서

1

정신이 혼미했다. 머릿속에 축축한 안개가 가득 차 있는 것 같았다. 땅의 감촉도 느껴지지 않았다. 공중에 뜬 상태로 걷는 듯했다. 귓속에서는 종류가 다른 소리들이 뒤섞인 채 쉼 없이 윙윙거렸다. 바람 소리, 물 흐르는 소리, 얼음이 갈라지는 듯한 소리가 들리는가 하면 누군지 알 수 없는 사람의 목소리까지 들렸다.

고산병 증세가 나타난 것은 티베트 고원 지대로 들어서면서였다. 해발 4천 미터가 넘는다고 했다. 가만히 앉아 있는데도 물속에 있는 것처럼 숨이 찼고, 머리가 아팠다. 조금만 걸어도 몸이 축축 처졌다. 라사에서 카일라스 가는 길은 멀고 험했다. 불교, 힌두교, 자이나교, 본교의 절대 성지인 카일라스산은 신화에 따르면 대지와 하늘을 연결하는 우주의 축이다. 우주의 축으로 가는 길이니 멀고 험할 수밖에 없을 것이라고 스스로를 위로했다.

밤에는 꿈을 많이 꾸었다. 아내가 자주 나타났다. 아내는 혼자 나타나지 않았다. 현수와 함께 왔다. 현수의 얼굴은 윤곽이 흐려 잘 보이지 않았다. 현수가 탄 승용차가 새벽 고속도로에서 중앙분리대를 들이받은 뒤 전복했다. 운전자의 부상은 가벼웠지만 조수석에 앉아 있던 현수는 병원 응급실에 실려 온 지 얼마 안 돼 숨졌다. 겨우 열일곱 살이었다.

머릿속 안개가 걷히기 시작한 것은 언덕으로 올라가고 있을 때였다. 바위투성이 언덕에는 수많은 룽다와 타르초가 바람에 펄럭이고 있었다. 티베트인에게 경전의 언어는 진리의 표상이다. 그 표상을 눈으로 볼 수 있고, 손으로 만질 수 있도록 다양한 형태로 만들어 삶의 공간에 배치해놓았다. 룽다가 경전의 언어가 새겨진 천을 깃대에 꽂은 한 폭의 깃발이라면, 타르초는 경전의 언어가 새겨진 오색 천들을 기다란 끈에 연결해놓은 천 다발이다.

룽다와 타르초로 뒤덮인 언덕에 올라서자 광활한 평원이 펼쳐졌다. 평원 저쪽에 길쭉하고 구불구불한 청색의 띠처럼 보이는 강이 흘렀고, 강 너머로 히말라야의 수려한 설산들이 눈을 시리게 했다.

"저 풍경은 이 언덕이 왜 착첼강인가를 알려주지요."

풍경을 응시하던 하영우가 나를 보며 말했다.

"착첼은 오체투지를 뜻합니다. 강은 언덕을 뜻하고요. 그러니까 여긴 오체투지를 하는 언덕이지요."

오체투지는 몸의 다섯 부분인 이마, 양 팔꿈치, 양 무릎을 땅에 닿게 하여 깊은 공경의 마음을 몸으로 표현하는 불교의 예법이다.

"오체투지를 하는 이의 마음이 궁금하군요."

"성스러운 존재 앞에 인간이 취할 수 있는 가장 낮은 자세가 오체투지입니다. 이곳을 착첼강으로 정한 것은 티베트인들의 마음에 저 풍경이 성스러운 존재이기 때문입니다. 착첼의 본래 뜻은 손을 청하다,입니다. 누군가에게 손을 내밀어 나를 끌어 올려달라는 간구이지요."

"그날 하 선생은 누구에겐가 손을 내미셨군요."

"네?"

그는 어리둥절한 표정으로 나를 보았다.

"유목민 텐트에서 하룻밤 유숙했을 때 초원에서 오체투지하시는 모습을 보았습니다."

이틀 전이었다. 티베트인이 운전하는 랜드크루저는 야크와 양 떼가 풀을 뜯고 있는 초원에 멈추었다. 열여덟 가구 백여 명의 유목민이 집단 이주하여 텐트 마을을 이룬 곳이었다. 그들이 제공한 텐트 안은 의외로 아늑했다. 전날 고산병 증세로 좀처럼 잠을 이루지 못했는데, 그날은 금방 잠들었다. 라사를 떠나 세번째 맞은 밤이었다. 얼마나 잤을까, 어떤 느낌 때문에 눈을 떴다. 흰색이 섞인 투명한 푸른빛이 물처럼 일렁였다. 물속에 누워 있는 듯한 느낌까지 들었다. 머릿속은 거의 백지상태였다. 빛의 정체가 무엇인지, 잠에서 깨어난 곳이 어딘지, 내가 왜 이런 곳에 있는지, 알지 못했다. 시간이 지남에 따라 그곳이 유목민 텐트이며, 물처럼 일렁이는 푸른빛이 달빛임을 인지했다. 힘겹게 일어나 상의를 걸치고 텐트를 나왔다. 순간적으로 눈을 감은 것은 달빛의 눈부심 때문이었다. 초원이 달빛의 바다가 되어 넘실거렸고, 그 너머 히말라야의 눈 덮인 봉우리들은 비현실적인 광채 속에 잠겨 있었다. 하영우를 본 것은 초원에서였다. 달빛에 잠긴 하영우는 누군가를 향해 오체투지를 하고 있었다. 몸의 움직임이 부드럽고 정밀했다. 부드러움과 정밀함이 빚는 고요는 달빛의 고요와 혼용하면서 그를 자연의 일부로 만들고 있었다.

"아, 그랬군요."

하영우는 부끄러운 듯 머리를 긁적였다.

"오체투지를 하시는 모습이 무척 인상적이었습니다. 그날 누구에게 손을 내미셨는지요?"

"나중에 말씀드려도 되겠습니까?"

조심스러운 목소리였다.

"아, 네."

그에게 불편한 질문을 한 것 같아 겸연쩍었다. 나를 바라보는 그의 눈이 슬퍼 보였다. 그를 처음 보았을 때의 모습이 떠올랐다.

2

그날을 생각하면 아득해진다. 기억이 흐려지면서 시간이 뒤죽박죽 섞인다. 어머니의 말에 따르면 자정 넘어 만취한 상태로 들어온 나는 옷도 벗지 않고 침대에 눕자마자 곯아떨어졌다. 어머니는 깨울까 하다가 내버려두는 게 낫겠다 싶어 이불을 덮어주고 스탠드 조도를 낮춘 후 방을 나왔다고 했다.

어머니가 눈을 뜬 것은 새벽 4시 조금 넘어서였다. 잠결에 무슨 소리를 들은 것 같았다고 했다. 현수가 왔나, 생각하며 자리에서 일어나 옷을 입었다. 전날 저녁 10시쯤 현수가 전화했는데, 오늘 밤은 친구 집에서 잔다고 했다. 거실은 어둑했고, 현수의 방은 비어 있었다. 안방에서 소리가 나는 듯해서 발소리를 죽이며 다가가 귀를 기울였다. 뭐라고 중얼거리는 소리가 들렸다. 울음소리 같은 것이 섞여 있었다고 했다. 어떡할까, 망설이다 문을 두드렸다. 중얼거리는 소리만 들려올 뿐 기척이 없었다. 문고리를 잡고 살짝 밀었더니 문이 스르르 열렸다. 스탠드의 어슴푸레한 불빛 속에 내가 보였는데, 머리를 침대 머리에 기댄 채 두 팔을 십자 형태로 가슴에 묻고 태아처럼 웅크린 모습으로 소리를 죽이며 울고 있었다고 했다.

어머니는 몹쓸 꿈을 꾼 모양이라고 생각했다. 눈빛과 표정이 잠결에 잠겨 있는 듯 보였기 때문이다. "어머니, 현수가······ 현수가······" 울음 섞인 목소리였다. "현수가 왜?" "현수가 죽었어요." 가슴이 쿵 내려앉은 어머니가 "무슨 소리야? 어젯밤 현수가 친구 집에서 잔다고 전화했는데. 몹쓸 꿈을 꾼 모양이구나"라고 말하자 내 얼굴이 갑자기 환해졌다고 했다. "아, 꿈! 내가 꿈을 꾼 거죠? 어머니, 그렇죠?" 그 말을 하고는 뚫어질 듯 쳐다보며 초조하게 대답을 기다리는 내 모습에 어머니는 혼란과 불안을 동시에 느꼈다. "아니 얘가······ 네가 꾼 꿈을 엄마가 어떻게 알아?" 어머니의 말에 흠칫 놀란 내가 무언가를 골똘히 생각하더니 "방금 현수에 대해 뭐라고 말했느냐?"라고 물었다고 했다. "현수가 친구 집에서 잔다고 전화한 것 말이니?" 어머니가 그렇게 되묻자 "지금 정말 현수는 집에 없느냐?"고 내가 다시 물었다. "조금 전에 확인했는데 아직 들어오지 않았다"는 어머니의 대답에 겁먹은 얼굴로 무언가를 찾는 듯 주위를 두리번거렸다고 했다. 뭘 찾느냐고 묻자 "휴대폰······ 내 휴대폰······" 하면서 몸을 벌벌 떨었다고 어머니는 힘겹게 기억을 더듬었다.

그날은 아내의 기일이었다. 종일 울적했고, 퇴근 후 술을 혼자서 오래도록 마셨다. 언제 의식을 놓아버렸는지 모른다. 집에 어떻게 들어왔는지도 기억나지 않았다. 병원 원무과 직원이 내 휴대폰으로 전화한 시각은 새벽 2시 17분이었다. 그의 말에 따르면 잠결에 받았는지 목소리가 잘 안 들려 환자 아버지임을 확인하기까지 애를 먹었다고 했다. 겨우 확인한 후 아드님인 강현수가 교통사고로 응급실에 실려 왔고, 매우 위독한 상태라고 말하자 반응이 없어 다시 말했더니, "어떻게 하면 현수에게 갈 수 있느냐"고 중얼거리는 듯한 목소리로 물었다고 밝혔다. 하지만 기억이 전혀 나지 않았다. 전화를 받은 사실조차 기억할 수 없었다. 내가 침대에서 울고 있었다는 것도 어머니에게 듣기 전에는 몰랐다. 그런데 왜 현수가 죽었다고 어머니에게 말했을까? 원무과 직원은 현수가 위독한 상태라고 말했지 죽었다고는 하지 않았다.

어머니와 함께 병원에 도착했을 때는 새벽 5시가 넘어 있었다. 의사가 현수에게 사망을 선고한 지 한 시간이나 지난 후였다. 현수의 얼굴이 너무나 멀쩡해 죽었다는 사실이 받아들여지지 않았다. 응급실에 실려 왔을 때 심정지 상태여서 심폐소생술을 시행했지만 소용이 없었다고 했다. 어머니의 울음소리를 들으며 마지막으로 본 현수 모습을 기억해내려고 애쓰고 있을 때 기척이 느껴졌다. 머리가 헝클어지고 안색이 창백한 남자가 서 있었다. 그는 눈물이 그렁그렁한 눈으로 자신이 기훈이 아버지라고 말했다. 현수를 죽게 한 운전자가 현수의 단짝인 기훈이라는 것과, 기훈이가 아버지 차를 몰래 끌고 나와 현수를 태웠다는 사실을 그를 통해 알았다. 언젠가 집에 놀러 온 기훈을 본 적이 있었다. 수줍게 웃으며 인사하는 모습이 보기 좋았다. 그날 저녁 식탁에서 어머니는 기훈이를 여러 차례 보았다면서 현수가 좋은 친구를 두었다고 흐뭇해했다. 기훈이는 어떻게 되었느냐는 나의 물음에 그는 대답하지 않고 눈물만 뚝뚝 흘렸다. 그가 하영우였다.

3

착첼강에서 북쪽 방향으로 내려서니 산 사이에 평원이 펼쳐졌다. 카일라스 남벽이 보이는 평원은 워낙 넓어 계곡이라기보다 대지처럼 느껴졌다.

"티베트인은 여기를 셀숑이라고 부릅니다. 황금 접시라는 뜻이지요. 티베트에서는 지명에 황금이라는 단어를 함부로 넣지 않습니다. 불성(佛性)을 상징하기 때문입니다. 그러니까 여긴 불성이 강한 땅이지요."

평원 왼쪽으로 설산에서 흘러내린 물이 내를 이루고 있었다. 물 흐르는 소리가 듣기 좋았다. 생각에서 벗어나 걸음에 집중하려고 노력했다. 생각을 짊어지고 걷고 싶지 않았다. 텅 빈 몸으로 걷고 싶었다. 나를 잊고 싶었고, 세상의 모든 기억을 잊고 싶었다. 걸음을 멈춘 것은 평원에 서 있는 탑 앞에서였다. 아래로 사람이 지나갈 수 있도록 기단부와 탑신부가 두 개의 기둥 형태로 상륜부를 떠받드는 특이한 구조였다.

"이 탑은……"

하영우는 탑을 어루만지며 말했다.

"카일라스로 들어가는 문입니다. 카일라스를 순례하려면 이 탑을 통과해야만 하지요."

카일라스의 신성은 티베트인들에게 수많은 믿음을 만들어 냈다. 그중의 하나가 카일라스 순례의 효험이다. 카일라스는 신 그 자체이기에 사람이 오를 수 없다. 신의 주위를 돌 수 있을 뿐이다. 그 길이 코라다. 코라는 죄를 씻는 길이다. 한 바퀴 돌면 1년의 죄가, 108번을 돌면 일생의 죄가 씻긴다. 한 바퀴 돌면 한 생의 죄가, 108번을 돌면 해탈의 경지에 이른다는 말도 있다. 한 바퀴의 거리가 52킬로미터로, 해발 4천 6백 미터에서 5천 7백 미터의 고갯길을 오르락내리락해야 한다. 보통 사람의 걸음으로 2박 3일이 걸린다.

"티베트인들은 이 탑을 강니초르텐이라고 부릅니다. 기둥이 두 개인 탑이라는 뜻이니 우리말로는 일주문이지요."

일주문? 연꽃과 함께 달과 해를 짊어지고 있는 탑의 반구형 지붕을 다시 올려다보았다. 절에 들어서는 산문(山門) 중 첫번째 문이 일주문이다. 기둥이 두 개이나 옆에서 보면 하나로 보이기에 일주문이라는 이름을 얻었다. 그 문을 경계로 문밖은 속계(俗界)이며, 문 안은 진계(眞界)이다. 하지만 주변에 절 건물은 어디에도 보이지 않았다.

"사원을 찾으십니까?"

나는 그렇다고 했다.

"사원은……"

그는 빙긋 웃으며 오른팔을 들었다.

"저 산입니다."

그가 가리킨 곳은 눈으로 덮인 카일라스 봉우리였다.

"여기에 강니초르텐을 세운 것은 카일라스가 사원이라는 마음의 발로였습니다. 세계에서 가장 장엄한 사원이지요."

카일라스를 바라보고 있는데 무언가가 어른거렸다. 가느다란 주름 같은 것이 텅 빈 공간 속에서 물결처럼 움직였다. 꼼짝하지 않았다. 몸을 조금만 움직여도 사라질 것 같았다. 그것이 풀들임을 안 것은 가느다란 주름 같은 것에서 바람 소리가 희미하게 들려오면서였다. 눈을 감았다. 들판이 보였다. 텅 빈 들판 위 늦가을 햇살에 잠긴 풀들이 바람에 흔들리고 있었다. 그 들판 속에서 아이의 목소리가 투명하게 솟아올랐다.

아빠, 왜 아무것도 없어?

눈시울이 뜨거워졌다. 현수의 목소리였다. 시간 저 너머에서 들려온 현수의 목소리는 들판을 느릿느릿 걷는 아내의 모습을 떠오르게 했다. 함양 상림을 떠나 안의면 용추계곡으로 들어가고 있을 때였다. 차창 너머로 일주문이 보였다. 섬세하고 화려하면서도 장대한 일주문이었다. 지붕의 형태가 새의 날개를 연상시켜 금방이라도 하늘을 날아오를 듯했다. 아내는 일주문이 저 정도라면 무척 큰 절일 것이라고 하면서 구경하자고 했다. 하지만 일주문 너머에는 들판밖에 없었다. 폐사지였던 것이다. 예상하지 못한 풍경에 멍하던 아내가 차츰차츰 풍경 속으로 빠져드는 모습은 의외였다. 황량한 빈터가 아름답다고 했다. 어떤 아름다움이냐는 나의 물음에 아내는 잠시 생각하더니 사라진 것들을 생각하게 하는 아름다움이라고 대답했다. 그런 아내의 모습이 무척 낯설었다.

아내가 피로와 함께 두통을 호소한 것은 그로부터 한 달이 채 안 되어서였다. 그전의 두통에 비하면 통증이 심해졌고, 조금만 일을 해도 견디기 힘든 피로가 짓누른다고 했다. 그뿐이 아니었다. 잇몸이 하얗게 변해가더니 때때로 피가 배곤 했다. 처음에는 새 학기 스트레스로 생각했다. 초등학교 교사인 아내는 새 학기가 시작되는 전후로 스트레스를 유독 많이 받았다. 밤에는 잠을 제대로 못 잤다. 그러던 어느 날 수업 도중 뼈마디가 쑤시는 통증으로 그 자리에 주저앉았다. 맨 먼저 든 생각은 아이들이 꽉 차 있는 교실에서 나가야 한다는 것이었다. 교실을 나가는 유일한 방법이 기어가는 것이라는 사실을 깨닫는 순간 몸 안에서 어떤 끔찍한 일이 일어나고 있음을 깨달았다. 진단 결과 급성 림프구성 백혈병이었다. 그로부터 아내가 숨을 거두기까지 1년 6개월 동안 악성 혈액 질환은 아내의 생명을 조금씩, 치밀하고 냉혹하게 삼켜나갔다. 아내는 병의 압도적인 생명력을 받아들임으로써 죽음과 화해하고 싶어했다. 그렇게 하지 못한 것은 그해 중학생이 된 현수 때문이었다.

"무슨 생각을 그렇게 골똘히 하세요?"

하영우의 목소리에 상념에서 깨어났다.

"카일라스 사원이 잊고 있던 기억을 떠올리게 하는군요."

"슬픈 기억인 모양이네요."

"그렇게 보였습니까?"

"네."

"하지만 카일라스 사원에 감사드리고 싶어요. 잊고 있던 기억을 일깨워주었으니까요."

"카일라스는 사원이기도 하지만 한 송이 꽃이기도 합니다. 방금 선생님은 카일라스라는 눈부시게 아름다운 꽃의 향기를 맡으신 것입니다."

꽃의 향기. 그 말을 혀로 굴리며 티베트인이 강니초르텐이라 부르는 일주문을 지나 카일라스라는 장엄한 사원에 발을 디뎠다. 사원은 일상의 공간이 아니다. 영적인 원리로 감싸인 특별한 공간이다. 그 특별한 공간에 들어서면서 내가 버려야할 것이 무엇인지를 생각했다. 현수의 연보랏빛 그림자와 함께 폐사지를 걷는 아내의 모습이 아련히 떠올랐다. 그녀가 죽어가는 동안 지켜보는 일 외에 내가 할 수 있는 일은 없었다. 물에 가까운 희멀건 피, 등에 홀연히 나타났다가 기이한 상흔을 남기고 사라지는 피멍, 몸 안의 피를 한 방울도 남기지 않고 다 뽑아내고 싶다는 아내의 중얼거림, 병원의 휑한 복도와 소리 없이 걷히는 죽음의 장막……

"저 깃발들을 보세요."

하영우가 가리키는 곳을 보니 평원이 카일라스 서벽을 휘감는 고갯마루와 만나는 곳에 수많은 깃발이 나무 장대들에 매달려 바람에 펄럭이고 있었다.

"먼 옛날 저기에 신성한 나무가 있었다고 합니다. 신성한 나무가 사라지자 사람들은 신성한 나무를 상징하는 나무 장대인 타포체를 세웠습니다. 깃발들은 신성한 나무를 빛나게 하는 룽다입니다. 하늘과의 소통을 계속하려는 염원의 행위이지요."

"저 언덕은 무엇입니까?"

나는 타포체를 내려다보는 언덕을 가리켰다. 언덕 위에도 깃발들이 펄럭이고 있었다.

"천장 터입니다. 절묘한 장소이지요. 땅과 하늘을 잇는 신성한 나무와 나란히 있으니."

라사 근교에서 본 천장 터가 떠올랐다. 시신을 멘 사람들이 만다라 탑을 돌았다. 이승의 죄를 씻는 의식이었다. 천장사는 독수리가 깨끗이 먹을 수 있도록 시신을 자르고, 가족들은 그 광경을 지켜본다. 근처 언덕에는 시신 냄새를 맡은 독수리들이 새까맣게 모여 있다. 티베트인들은 독수리들이 시신을 깨끗이 먹으면 죽은 이의 영혼이 좋은 데로 간다고 믿는다.

현수를 보내는 날 하늘은 티 없이 맑았다. 관 속에 누운 현수의 얼굴은 잠자는 듯한 모습이었다. 현수가 태어났을 때 가슴에 불이 켜진 느낌이었다. 그 작고 따뜻한 불이 내 삶을 얼마나 환하게 했는지 아프게 각인되고 있었다. 병원 소생실에서 의사가 현수에게 응급 흉관삽입술을 시행하는 동안 피가 2리터 넘게 빠져나왔다고 했다. 그 시각에 내가 무얼 했는지, 생각하면 눈앞이 캄캄해졌다. 현수의 몸이 화장로의 불길 속으로 들어갈 때 눈을 뜨고는 있었지만 아무것도 보지 못했다. 캄캄함 속에서 허우적거리기만 했다.

4

현수의 장례를 치른 후 한동안 기진한 상태로 지냈다. 잠에서 깨어나면 절망이 목을 짓눌렀다. 밥을 먹고 나면 토하고 싶었다. 눈이 자주 뻑뻑해졌고, 시야가 흐려지곤 했다. 밤에 운전할 때는 도로가 잘 보이지 않았다. 이를 악물 수밖에 없었던 것은 어머니 때문이었다. 나를 보는 어머니의 눈에는 걱정과 슬픔이 가득했다. 어머니는 어떻게 견디고 계실까, 생각하면 가슴이 미어졌다. 하나밖에 없는 손주를 잃은 노인의 마음을 헤아릴 길이 없었다.

그러던 어느 날 현수의 방에 들어가 멍하니 앉아 있는데, 책상 아래에 놓인 현수의 가방이 눈에 들어왔다. 사고가 난 차 안에 있던 것이었다. 전날에도 가방을 보았지만 가방 안을 들여다볼 생각은 하지 않았다. 들여다볼 힘이 없었기 때문일 것이다. 어쩌면 가방이 멀쩡했기 때문이었는지도 몰랐다. 가방 안에서 카메라를 발견했을 때 눈물이 핑 돌았다. 아내가 세상을 떠나기 전 현수에게 준 선물이었다. 아내가 움직일 수 없을 때였다. 카메라는 움직일 수 있었을 때 사놓은 것이었다. 중학생이 쓰기에는 꽤 비싼 카메라였다. 카메라를 선택한 이유에 대해 아내는 마음의 눈을 바깥으로 향하게 하는 데 가장 좋은 물건이라 생각했기 때문이라고 나에게 말했다. 아내의 바람이 이루어졌는지는 모르겠지만 현수는 어디를 가든 카메라를 챙겼다. 현수가 처음으로 벽에 건 자신의 사진은 노을에 잠긴 저녁 풍경이었다. 풍경의 색감이 따뜻하면서 쓸쓸했다.

카메라 LCD 창에 처음 나타난 사진은 기훈의 얼굴이었다. 저문 하늘을 배경으로 옆모습을 찍은 사진이었다. 좀더 자세히 보려고 카메라를 모니터에 연결했다. 빛보다 그림자가 더 짙음에도 얼굴 윤곽이 뚜렷했고, 입체감이 돋보였다. 기훈을 찍은 사진이 의외로 많았다. 하늘에서부터 바다, 산, 숲, 공원, 빌딩, 카페 등 배경이 다양했다. 사진의 중심은 늘 기훈이었다. 기훈이라는 피사체를 향한 현수의 깊은 몰입이 느껴졌다. 사진의 아름다움은 몰입의 깊이에서 나오는 듯했다.

하영우가 흐느낌이 섞인 목소리로 기훈이 살아 있다고 말했을 때 무어라고 표현할 수 없는 적막이 나를 에워쌌다. 죽음이 만든 적막이었다. 하영우의 말을 듣기 전까지 나는 현수의 죽음을 현실로 받아들이지 못하고 있었다. 현수의 시신을 보았음에도 여전히 꿈속에 있는 듯한 느낌이었다. 거기에서 빠져나올 수 있었던 것은 하영우의 말 때문이었다. 기훈이가 살아 있다는 사실이 현수의 죽음을 일깨운 것이었다. 죽음의 적막 속에서 나는 이 세상에서 가장 소중한 존재로부터 버림받았다는 느낌에 사로잡혔다. 그 느낌이 불러일으키는 고통은 숨쉬기가 힘들 정도로 끔찍했다. 기훈이가 많이 다쳤느냐는 어머니의 목소리가 먼 곳에서 들려오는 것 같았다. 하영우는 다리 골절 외에는 우려할 만한 부상이 없는 것 같다고 겨우 들리는 목소리로 말했다. 그가 무릎을 꿇은 것은 어머니가 다행이라고 혼잣말하듯 중얼거리고 있을 때였다. 무릎을 꿇은 그는 소리를 죽이며 울었다.

5

천장 터를 지나자 길이 가팔라졌다. 강의 신들이 산다는 라추 골짜기였다. 어귀가 1킬로미터는 족히 되어 보이는 골짜기에서 물줄기가 구불거리며 흘렀다. 빙하가 녹은 물이었다. 저 물이 대지로 흘러들어 가 인더스강과 야루짱부강 등 4개의 강을 이룬다고 하영우가 말했다.

"강은 세상을 연결해주는 통로 역할을 했습니다. 사람들은 강을 따라 내려가기도 하고, 강을 거슬러 올라가기도 했지요.

우린 지금 강의 근원을 향하고 있으니 땅의 세상에서 하늘의 세상으로 가는 중이지요."

골짜기가 황량함에도 풍경은 조금도 지루하지 않았다. 풍경 속에는 이마를 차갑게 하면서 정신을 두드리는 무언가가 있었다. 길이 꺾이는 곳에 돌탑이 보였다. 순례자들이 쌓은 탑이었다. 돌 하나를 놓으며 무언가를 빌거나 누군가를 생각했을 것이다.

현수의 죽음 이후 살아 있는 이들은 그립지 않았다. 눈에 보이는 것들, 살아 움직이는 것들이 그림자처럼 느껴졌다. 삶이 슬프고 무서웠다. 슬프고 무서운 삶을 버리고 싶었다. 하지만 삶은 버리고 싶다고 버려지는 것이 아니었다. 삶을 버리려면 먼저 삶이 내 몸에 새긴 기억들로부터 자유로워져야 했다. 현수와 함께한 기억들이, 아내와의 추억들이 버려진다고 생각하면 죽음보다 더 슬프고 무서웠다.

기훈의 병실을 찾은 것은 현수 사진을 본 지 사흘 후였다. 다리 골절 수술을 했는데, 경과가 좋다고 했다. 나를 보자 기훈은 고개를 들지 못했다. 고개를 들었을 때 눈이 벌겋게 충혈되어 있었다. 현수 사진을 보기 전까지 기훈은 물론 하영우도 생각하지 않으려 애를 썼다. 현수가 왜 죽었는지를 헤아리게 되면 쇠붙이가 가슴을 파헤치는 듯한 통증과 함께 정신을 잃을 것 같은 분노에 사로잡히곤 했다. 마음을 황폐하게 하는 분노였다.

나는 가지고 온 사진을 내밀었다. 기훈을 피사체로 한 사진으로, 배경이 함양 용추계곡 폐사지였다. 처음에는 그곳인 줄 몰랐다. 그 사진이 다른 사진보다 유독 많았다. 그중의 하나가 일주문에서 찍은 것이었다. 그 사진들을 다시 보면서 눈물을 여러 번 훔쳤다. 폐사지 들판을 걷는 아내의 모습이 눈에 잡힐 듯 떠올랐던 것이다.

사진의 장소를 기억하느냐는 나의 물음에 기훈은 고개를 끄덕였다. 그곳을 세 번이나 갔고, 두번째 갔을 때는 준비해 간 텐트에서 하룻밤 잤다고 했다. 그날도 여기로 가다가…… 기훈은 말을 잇지 못하고 고개를 떨구었다. 사고가 난 그날은 아내 기일이었다. 자세히 이야기해보라는 나의 말에 기훈은 더듬더듬 말했다. 동네 공원에서 맥주를 마시고 있을 때 현수가 고래 이야기를 했다고 했다.

파키세투스를 알아? 파키세투스? 생명의 진화는 바다에서 육지로 올라오는 과정이었어. 캄캄하고 차가운 바닷속보다 밝고 따뜻한 햇빛이 있고 산소가 풍부한 육지가 살기에 훨씬 좋았기 때문이지. 그런데 예외적인 생명체가 있었어. 파키세투스였어. 파키세투스는 육지에서 다시 바다로 돌아가 자신의 몸을 바꾸어나갔어. 가느다란 꼬리는 꼬리지느러미로, 앞다리는 가슴지느러미로 변하고, 뒷다리는 짧은 뼈의 흔적만 남긴 채 사라지면서 생체 기능이 바다에서 살 수 있도록 진화되어갔어. 고래로 변신한 거지. 음, 그러니까 파키세투스는 고래의 조상이네. 근데 뜬금없이 고래 조상 이야기를 왜 해? 엄마 생각이 나서. 오늘이 엄마가 돌아가신 날이거든. 네 엄마, 고래를 좋아하셨어? 돌아가시기 며칠 전 엄만 세상에 다시 태어날 수만 있다면 고래로 태어나고 싶다고 했어. 고래의 눈이 너무 깊고 맑아 나를 볼 수 있대. 특히 달이 환하게 빛나는 밤이면 내가 더 잘 보일 거래. 그럼 달이 환하게 빛나는 곳으로 가야겠네. 거기가 어딘데? 전에 갔던 그 절터. 달빛이 엄청 밝았잖아.

병실을 나와 정처 없이 걸었다. 눈물이 줄줄 흘렀다. 아내의 죽음 이후 무뚝뚝하게 변해갔던 현수가 많이 낯설었는데, 죽은 엄마를 그토록 그리워하고 있었을 줄은 까맣게 몰랐다. 아내는 현수의 그리움 속에서 아름답게 숨 쉬고 있었다. 향유고래 수명이 얼만지 알아? 70년이야. 근데 향유고래 어미는 새끼들이 열세 살이 될 때까지 젖을 물려. 아내의 목소리가 바람 소리처럼 귓전을 맴돌았다. 아내가 고래에 관한 책을 탐독하고, 비디오를 보기 시작한 것은 세상을 떠나기 한 달 전이었다. 고래 젖은 생명체 가운데 가장 진해. 어미 고래가 새끼 고래에게 6개월 동안 수유하는 젖의 양이 40톤도 넘어. 그 사이 새끼 고래의 몸무게가 17톤이나 증가해. 어미 고래는 말이야, 새끼를 키우는 동안 몸무게의 4분의 1에서 3분의 1까지 잃어. 비디오에서 척추뼈가 앙상하게 드러난 어미 고래를 봤는데, 눈물이 났어. 폐사지의 환한 달빛 속에서 현수와 나란히 걷는 아내가 보였다. 누군가가 옆에서 그 모습을 보며 미소 짓고 있었다. 기훈이었다. 미안하고 부끄러웠다. 기훈과 하영우를 향한 황폐한 분노가 얼마나 어처구니없는 감정이었는지를 아프게 깨달았다.

"저 새를 보세요."

하영우의 말에 눈을 떴다. 그가 가리킨 쪽을 보니 새 한 마리가 이끼 긴 바위에 앉아 있었다. 새는 사람들이 지나다니는 길목임에도 경계하는 빛이 전혀 없이 풍경을 응시하고 있었다.

"제 눈에 저 새는 카일라스는 내 영혼의 놀이터야, 하고 생각하고 있는 것처럼 보이는군요."

"새들도 카일라스의 에너지에 영향을 받을지도 모르지요."

"전 받는다고 생각합니다. 생명이니까요."

우리는 배낭을 내리고 바위에 걸터앉았다.

"육신이 땅에 묻히거나 불에 태워지는 것보다……"

그는 새에게서 시선을 떼지 않고 말했다.

"조각조각 나뉘어 새들과 함께 하늘을 날아다니는 것도 괜찮겠다는 생각이 드는군요."

천장 터가 떠오르면서 망자를 떠나보내는 천장사의 노랫소리가 귓전을 맴돌았다. 그곳 승려의 말에 따르면, 수행자의 관점에서 천장사는 매우 높은 계급의 사람이라고 했다. 망자의 영혼을 극락세계로 이끄는 염불을 하기 때문이라는 것이다. 새를 보면서 죽음을 생각하는 그를 물끄러미 보았다. 만날수록 내면 풍경이 더 궁금해지는 사람이었다.

하영우가 현수 빈소에 나타났을 때 그의 멱살을 잡고 싶은 충동을 간신히 억눌렀다. 분노 속에는 나는 아들을 잃었지만 그는 아들을 잃지 않았다는 현실이 불러일으키는 절망과 질투가 섞여 있었다. 그런 감정에 균열이 생긴 것은 그가 현수의 영정 앞에서 절할 때였다. 절하는 그의 모습을 보고 있는데 슬픔이 일면서 눈자위가 젖어들었다. 그와의 맞절은 갑작스러운 감정의 변화에 마음의 갈피를 잡지 못한 상태에서 이루어졌다. 맞절 후 그는 무릎을 꿇었다.

기훈이가…… 오고 싶어 했지만……

그가 말을 잊지 못하고 고개를 숙였을 때 그에게서 고통이 느껴졌다. 손을 뻗으면 만질 수 있을 것 같은 고통이었다. 내가 당황한 것은 그의 고통이 나의 고통 속으로 흘러들어 오는 듯한 느낌이 들면서였다. 그 돌연한 느낌은 서로 다른 두 고통이 섞이는 느낌으로 나아가고 있었다. 처음으로 그의 내면을 들여다보고 싶은 마음이 일었다.

바위 위에 앉은 새가 비상하고 있었다. 하영우의 시선이 새를 좇았다. 새는 새하얀 낮달이 걸린 하늘로 솟구쳐 올랐다. 하늘이 품고 있는 허공의 깊이에 현기증이 났다. 골짜기 아래에서 수런거리는 소리가 들렸다. 내려다보니 어떤 순례자가 오체투지로 가파른 길을 오르고 있었다.

"저렇게 가면 코라를 한 바퀴 도는 데 얼마나 걸리죠?"

"한 달 남짓이라고 들었습니다."

"저분은 신이 자신을 내려다보고 있으리라는 믿음을 갖고 있겠지요."

"몽골에 사는 어떤 불자가 오체투지로 카일라스 순례에 나섰습니다. 몽골과 카일라스 사이에는 고비 사막이 있습니다. 그 불자는 고비 사막도 오체투지로 건넜습니다."

"경이로운 믿음이군요."

"그런 극한 고행을 하는 데에는 고통은 실재하지 않으며, 고통이 실재한다는 생각만 있을 뿐이라는 믿음이 커다란 역할을 하지 않았을까, 생각합니다. 모래 만다라를 아세요?"

나는 고개를 저었다.

"모래로 만다라를 그리는 대단히 섬세하고 정교한 불교 예술입니다. 2천 5백여 년 전 붓다가 제자들에게 몸소 가르쳤다고 합니다. 자신의 깨달음을 제대로 전달하려는 붓다의 마음이 느껴지는 이야기입니다. 진실은 눈에 보이지 않습니다. 예술은 보이지 않는 진실을 눈에 보이는 형태로 변화시키는 미학적 행위라고 들었습니다. 붓다가 예술가이기도 한 까닭은 여기에 있지요. 붓다의 예술인 모래 만다라는 11세기에 인도에서 티베트로 전해져서 지금까지 보존되고 있습니다."

모래 만다라는 혼자 그리지 않는다. 열 명에서 스무 명 사이의 승려가 몇 날을, 몇 달을, 몇 년을 공력을 다 바쳐 그린다. 모래 알갱이 하나를 놓는 행위 자체가 수행이다.

"승려들이 오랜 시간 동안 지극한 공력을 쏟아 만든 모래 만다라에는 생과 멸을 통해 끊임없이 변화하고 순환하는 우주가 응축되어 있습니다. 그런 모래 만다라를 창작자인 승려가 커다란 붓을 휘저어 허물어뜨리고는 허물어진 모래를 유리병에 담아 강물에 흘려보냅니다. 모래에서 시작했으니 모래로 돌아가게 하는 것이죠. 형체를 이루는 물질세계가 환영에 불과하다는 불교 철학에 대한 은유의 의식이지요."

"지금 우린 환영의 길을 걷고 있군요."

나는 중얼거리듯 말했다. 향유고래처럼 바다의 심연으로 깊이, 더 깊이 들어가고 싶어. 세상의 기억이 따라올 수 없는 곳으로. 아내의 목소리가 환영의 길 속으로 바람처럼 흩어지고 있었다.

6

드리라푹 사원은 카일라스 북면이 보이는 강변 저쪽, 바람이 짓쳐 올라가는 가파른 경사면 아래에 있었다. 해발 5,210미터에 위치한 세계에서 가장 높은 사원이라고 했다. 우리는 강변에 있는 숙소에 배낭을 내려놓고 카일라스 북쪽 사면으로 향하는 계곡을 올랐다. 카일라스의 생명력을 가장 깊이 느낄 수 있는 곳으로 간다고 했다. 길이 좁고 희미했는데, 간혹 슬며시 사라지곤 했다. 길 옆으로 시냇물이 불규칙적으로 흘렀다. 물은 돌밭 속으로 스며들더니 이끼가 덮인 곳에서 모습을 드러냈다. 조금 후 너덜 지대가 나타났고, 바위 투성이 비탈길로 이어졌다. 비탈길을 한참 오르자 경전의 언어가 새겨진 깃발과 돌 들이 있는 넓은 공간이 나타나면서 하얀 눈을 인 카일라스가 환히 보였다.

하영우는 두 발을 모으고 두 팔을 내린 채 카일라스를 응시했다. 움직임이 전혀 없었다. 숨조차 쉬지 않는 듯했다. 이상했다. 움직임이 없음에도 움직임이 느껴졌다. 눈에는 보이지 않는 그 움직임이 그의 몸을 견고한 정적의 형태로 응축시키는 것 같았다. 시간이 얼마나 흘렀을까, 그의 몸에서 움직임이 나타났다. 미세한 움직임이었다. 아래로 늘어뜨린 두 손이 모이면서 정수리로 올라가더니 목, 가슴으로 내려왔다. 가슴에 머문 두 손이 겸손하고 간절했다. 잠시 후 그가 무릎을 꿇었을 때 병원에서 무릎 꿇고 소리 죽이며 울던 모습이 떠올랐다. 그의 이마가 땅에 닿았다. 이어 가슴과 배, 팔과 다리가 땅에 닿으면서 몸의 움직임이 멈추었다. 그 모습이 슬펐다. 운명을 알 수 없고, 죽음을 피할 수 없는 유한한 존재가 운명과 죽음을 내려다보고 있는 높은 존재를 향해 더 이상 낮아질 수 없는 자세로 간구하는 몰아의 모습이 불러일으키는 슬픔이었다. 슬픔 속에서 무언가가 떠오르고 있었다. 어둠에 잠긴 기도실이었다. 성체식에 쓰이는 희미한 램프가 기도실을 간신히 밝혔다. 기도실 모퉁이에 있는 피에타상 아래에서 누군가가 울고 있었다. 아내였다. 아내는 못에 뚫린 손바닥을 편 채 한 팔을 축 늘어뜨린 예수의 발치에 태아처럼 몸을 웅크리고 울고 있었다. 땅에서 일어서는 하영우의 모습이 흐려진 시야 속에서 어렴풋이 보였다.

"절하시는 모습이 무척 아름답네요."

나는 진심으로 말했다.

"그런 기도를 언제부터 하셨습니까?"

"기도로 보였습니까?"

"네."

"제가 절을 잘했나 보군요."

그는 수줍게 웃으며 말했다.

"오체투지는 사람이 할 수 있는 동작 가운데 몸이 대지와 가장 깊이 밀착하는 동작입니다. 신에게 바치는 가장 깊은 기도이지요. 제가 오체투지를 처음 본 것은 인도를 떠돌 때였습니다. 당시 저는 정신이 무너진 상태였습니다. 제가 세 살 때 얼굴도 모르는 어떤 여자에게 버림받았다는 사실을 알았기 때문입니다. 서른다섯 살 무렵에 일어난 일입니다. 그 사실을 형이 알려주었습니다. 돌아가신 아버지 재산 때문이었지요. 그 말로 형이 이복형임을, 어머니가 의붓어머니임을 알게 된 것입니다."

그의 눈이 흐려졌다.

"저는 노여움과 외로움, 허기와 수치심의 구덩이에 빠져 허우적거렸습니다. 가만히 있으면 구덩이의 심연에 영원히 묻힐 것 같았습니다. 그러니 떠돌 수밖에요. 누구도 나를 알지 못하는 곳을 떠돌다 풍경 너머로 사라지고 싶었습니다. 그런 마음으로 간 곳이 인도였습니다. 갠지스강 변에 오래 머문 것은 그곳이 죄를 씻는 곳이기도 했지만 무엇보다 화장터이기도 했기 때문입니다. 죄를 씻는 행위에는 관심이 없었습니다. 노여움과 외로움과 허기와 수치심의 구덩이 속에는 죄의 감각이 발붙일 데가 없으니까요."

그는 스르르 눈을 감았다 떴다.

"장작 더미에서 불타고 있는 시신들과 물에 떠다니는 시신들을, 모래톱에서 시신을 뜯어먹고 있는 개들을, 빛도 그림자도 없는, 이 세상의 풍경 같기도 하고 저세상의 풍경 같기도 한 그 몽환적 풍경들을 눈을 부릅뜨고 보았습니다. 몸속으로 배어든 죽음의 냄새가 눈에서 목구멍에서 진물처럼 흘러내릴 때 캄캄한 강물에 잠겨 어디론가 떠내려가는 제 육신이 떠오르곤 했습니다. 그 육신을 집요하게 들여다본 것은 갠지스강을 떠다니는 시신들과 다를 것이 없다는 사실을 확인하고 싶었기 때문입니다. 저는 시신이 된 저와 그 시신을 바라보는 저 사이에 무엇이 가로놓여 있는지를 생각했습니다. 그 생각의 이면에는 그것을 무너뜨리면 고통이 끝날 것이라는 희망이 자리하고 있었습니다."

햇살이 환하던 어느 날 그는 흰 꽃송이 같은 것이 강물에 떠다니는 모습을 보았다. 다가가니 불에 덜 탄 손이었다. 작은 것이 어린아이의 손인 듯했다.

"그 작은 손이 제 손인 듯 느껴졌습니다. 이유는 알 수 없었습니다. 그냥 그렇게 느껴졌습니다. 꿈에도 나타났습니다. 홀로, 애처롭게 강물에 떠다니는 작은 손과 그 손을 바라보는 저를 구분할 수 없습니다. 손이 저였고, 제가 손이었습니다. 저는 혼몽 속에서 생각했습니다. 저 강을 거슬러 올라가면 손이 버려진 데가 나올 것이라고. 며칠 후 저는 갠지스의 발원지인 히말라야 강고트리로 향했습니다. 저와 히말라야의 인연은 그렇게 시작되었습니다. 갠지스를 떠나면서 유일하게 들른 곳이 사르나트 유적지였습니다. 오래전부터 가고 싶은 곳이었습니다."

녹야원으로도 불리는 사르나트는 6년의 고행 끝에 깨달음을 얻은 고타마 싯다르타가 250킬로미터의 거리를 홀로 걸어와 첫 설법을 한 곳으로 알려졌다.

"무너져 흔적만 남은 탑 앞에서 한 여인이 오체투지를 하고 있었습니다. 여인의 몸짓은 간절했습니다. 제가 꼼짝도 않고 여인의 모습을 지켜본 것은 간절함이 빚은 슬픔 때문이었습니다. 통절한 슬픔이었습니다. 여인이 떠나자 저는 여인이 오체투지한 자리로 가서 가만히 섰습니다. 제가 여인의 오체투지 흉내를 낸 것은 새 한 마리가 일몰의 하늘을 가로지르고 있을 때였습니다. 무릎을 꿇고 고개를 숙였습니다. 이마가 땅에 닿았을 때 눈물이 뚝뚝 떨어졌습니다. 저의 첫 오체투지는 그렇게 슬픔 속에서 이루어졌습니다. 갠지스와 히말라야 사이에서."

카일라스가 노을에 물들고 있었다. 흰빛의 눈부심이 사라지면서 봉우리의 모습이 한층 또렷해졌다. 틈과 벼랑의 선은 물론 바위의 다채로운 줄무늬까지 명료하게 보였다.

"갠지스가 저에게 죽음의 공간이었다면 히말라야는 시원의 공간이었습니다. 히말라야로 들어가기 전의 저는 어머니라는 근원의 존재로부터 버림받았다는 상처 속에서 허우적거렸습니다. 그런 저에게 히말라야는 근원에 대한 생각을 변화시킴으로써 상처도 변화시켰습니다. 저를 낳은 어머니는 이 세상에 한 사람밖에 없습니다. 유일한 존재이지요. 하지만 히말라야라는 신비한 생명체는 근원의 존재가 진정으로 존재하려면 하나의 존재 속에 가두어서는 안 된다는 사실을 가르쳐주었습니다. 붓다라는 근원적 존재는 두 개의 몸을 갖고 있습니다. 첫번째 몸은 생물학적 몸입니다. 역사적 존재로서 싯다르타라는 사람의 몸이지요. 두번째 몸은 진리의 몸인 보신불입니다. 만약 붓다의 몸이 싯다르타라는 생물학적 몸에 갇혀버리면 붓다의 신성은 머물 데가 없어집니다. 예수도 마찬가지지요. 못에 박히는 고통을 느끼는 역사적 존재로서의 몸과 초월적 존재로서 그리스도의 몸이 존재합니다. 가난한 이를 대접하는 것은 나를 대접하는 것이라는 예수의 말씀은 초월적 존재로서의 몸에 근거를 두고 있지요. 생명을 잉태하고 낳는 어머니는 붓다나 예수처럼 신성한 존재입니다. 그 신성한 존재의 몸을 생물학적 몸으로만 한정한다면 어머니의 신성은 사라집니다."

그의 목소리가 슬프게 들렸다.

"언젠가부터 저는 히말라야의 풍경에서 시선을 느꼈습니다. 저만이 풍경을 보는 게 아니었습니다. 놀랍게도 풍경도 저를 보고 있었습니다. 저의 시선과 풍경의 시선이 마주치는 순간 신성한 존재의 숨결을 느꼈습니다. 어머니의 신성이었습니다. 풍경의 내면에서 흘러나온 어머니의 신성한 숨결이 제 몸속으로 흘러들어 와 물결치고 있었습니다. 어머니라는 존재의 생물학적 몸에 갇혀 있던 저의 자아가 해방되는 순간이었습니다. 그때 저를 감싼 희열은 자유가 불러일으킨 희열이었습니다. 그 희열 속에서 저는 비로소 깨달았습니다. 사르나트의 무너진 탑 앞에서 오체투지하고 있었던 여인이 저의 어머니였음을."

7

고갯길은 가팔라지는데, 안개는 갈수록 짙어져갔다. 카일라스는 안개에 잠겨 보이지 않았다. 앞에서 걸어가는 하영우의 모습조차 희미했다. 고도가 5천 미터를 훨씬 넘어섰다고 했다. 한 발 떼어놓기가 힘들었다. 발에 육중한 쇳덩이가 매달려 있는 것 같았다. 숨 쉬는 것조차 고통이었다. 몇 걸음 딛다 쉬고, 또 몇 걸음을 딛다 쉬었다. 허벅지가 묵직했고, 발목이 저렸다. 가장 신경이 쓰이는 데가 무릎이었다. 통증이 심하지는 않았지만 남은 거리를 생각하면 걱정하지 않을 수 없었다. 하영우는 통증에 사로잡히지 말고 여러 감각 가운데 하나로 생각하라고 했다. 통증이 커지는 이유는 통증에 사로잡히기 때문이라는 것이었다.

"저것들은 무엇이지요?"

바위에 앉아 헛구역질을 하고 있는데, 짙은 안개 사이로 켜켜이 쌓인 옷가지들이 보였다.

"사람들이 버린 죄와 업의 표징이지요."

그는 옷가지들을 물끄러미 보며 말했다.

"여기가 바로 해탈 고개입니다. 자신이 지은 죄를 버릴 수 있고, 죽은 자의 업을 씻을 수 있는 곳이지요. 사람들이 자신의 옷과 신발에서부터 머리칼 손톱 발톱 등을 버리는 것은 해탈 고개의 상징성을 믿음으로 받아들이기 때문입니다. 죽은 이의 유품도 그런 믿음에서 버립니다."

"하 선생은 믿습니까?"

"믿고 싶은 충동에 사로잡힐 때가 있습니다. 간혹 죄의 무게에 숨이 막히곤 하니까요."

어젯밤 꿈이 떠올랐다. 모래펄이 바다처럼 펼쳐진 사막이

202

었다. 한 남자가 오체투지를 하며 불처럼 뜨거운 모래펄을 자신의 몸길이만큼 나아가고 있었다. 남자의 얼굴이 아이처럼 보이기도 했고 노인처럼 보이기도 했다. 현수의 얼굴 같기도 했고, 내 얼굴 같기도 했다. 기훈이 얼굴처럼 보이다가도 하영우의 얼굴로 변했다. 때로는 그 모든 얼굴이 뒤섞여 누군지 모르는 얼굴이 되어버렸다.

"현수의 장례식을 치른 이후 두려움에 사로잡히기 시작했습니다. 현수를 죽음으로 몰아간 어떤 힘에 제 죄가 조금이라도 섞여 있지 않을까, 하는 두려움이었습니다. 그 두려움은 저에게 과거의 살 속으로 파고들어 가 죄의 뼈를 추리고, 그 뼈에 붙은 살을 발라내라고 명령했습니다. 그래야만 죄의 무게를 정확히 측정할 수 있다고 했습니다. 이제 막 피어나는 생명을, 그 눈부신 생명을 앗아 갔으니 죄의 무게를 철저히 측정해야 한다고, 깃털 하나의 무게도 빠뜨리면 안 된다고 준엄한 목소리로 말했습니다. 하지만 저에게는 그럴 힘이 없었습니다. 저라는 존재는 죄 앞에서 바짝 마른 흙에 불과했습니다."

한 남자가 울면서 바위에 옷을 입히고 있었다. 옷의 크기로 보아 죽은 생명이 서너 살 아이인 듯했다.

"착첼강에서 선생님이 물으셨지요. 제가 유목민 텐트 근처의 초원에서 오체투지를 하면서 누구에게 손을 내밀었느냐고."

"그렇게 물었지요."

"지금 대답하겠습니다. 선생님의 아드님입니다."

"현수 말입니까?"

"네."

그는 나직이 대답했다.

"사랑을 한다는 것은 고통과 마주하는 것을 의미한다고 저는 생각합니다. 기훈은 아드님의 죽음으로 그 고통과 마주했습니다. 기훈에게는 혹독한 고통입니다. 그 고통을 저는 옆에서 느끼고 있습니다. 티베트 속담에 부정한 카르마를 쓸어내는 빗자루가 고통이라고 했습니다. 영혼을 정화하는 고통의 힘을 표현하는 말이지요. 기훈은 아드님에게서 영혼을 정화하는 마르지 않는 우물을 얻은 것입니다. 우물의 원천은 아드님의 희생입니다. 사고 당시 상황이 불러일으킨 어떤 물리학적 법칙의 결과로 기훈이는 살았고, 아드님은 숨졌다고 생각할 수도 있습니다. 우연 혹은 운으로 치부되는 것이지요. 하지만 그것은 현상의 거죽일 뿐입니다. 영혼의 생명 활동은 거죽에서는 나타나지 않습니다. 저는 기훈의 고통을 통해 아드님을 알게 되었습니다. 저에게 아드님은……"

그는 눈을 내리깔았다.

"사무치게 아름답고 거룩한 존재입니다. 그 존재 앞에서 제가 할 수 있는 일이란 기도뿐입니다. 저는 생각하고 또 생각합니다. 어떻게 하면 더 깊은 기도를 드릴 수 있을까, 하고."

하영우가 카일라스 트래킹을 권유했을 때 내키지 않았다. 거부감까지 들었다. 마음이 돌아선 것은 히말라야가 본래 바다였다는 사실을 알고 나서였다. 그 순간 기훈에게 고래 이야기를 하는 현수가 떠올랐다. 그가 왜 나를 여기에 데려오고 싶어 했는지, 이제는 알 것 같았다.

"저도 그 기도를 배워야 할 것 같군요."

"기쁘게 가르쳐드리겠습니다."

그는 환히 웃으며 말했다. 커다란 바위에 이마를 대고 기도하는 남자가 보였다. 그의 옷은 걸인처럼 남루했으나 얼굴은 환한 빛 속에 있었다. 이곳에서 카일라스를 바라보며 죽음을 기다리는 사람도 있다고 들었다. 죄를 짓지 않고서는 살 수 없는 세상 속에서 그 사람에게는 여기가 세상 끝의 정원일 것이다. 천 근처럼 무거운 몸을 일으켰다. 해탈 고개를 넘어야 했다. 고통을 바쳐 해탈 고개를 넘으면 무엇이 기다리고 있는지 궁금했다. 주위가 밝아지면서 안개가 빠르게 걷혔다. 하늘을 올려다보았다. 두꺼운 구름 사이로 햇살이 새어 나오고 있었다.

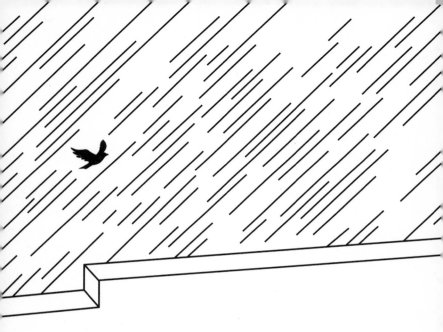

플라톤의 동굴

1

이 글은 연극 「플라톤의 동굴」에 대한 비망록이다. 「플라톤의 동굴」은 세번째로 무대에 올린 나의 희곡으로, 지난 5월 마지막 토요일에 막을 내렸다. 「플라톤의 동굴」을 설명하려면 나의 첫번째 희곡 「예술가의 초상」을 먼저 설명해야 한다. 두 연극 모두 내가 연출했다.

「예술가의 초상」은 에밀 졸라의 장편소설 『작품』을 바탕으로 만든 희곡으로 5년 전에 공연되었다. 『작품』은 대학 시절 나에게 예술에 대한 무한한 동경을 심어준 소설이다.

——그림을 못 그리게 되면 아마 난 죽을 거야. 차라리 그림을 그리다 죽을래. 아무리 좋은 것도 내겐 소용이 없어. 나에겐 그림이 전부야. 그림만 있으면 돼. 세상 같은 건 없어도 좋아.

『작품』의 주인공 클로드는 비평가들의 냉담에 좌절을 거듭해오면서도 그림을 향한 열정을 버리지 못하는 화가다.

——저게 나를 죽일 테지. 내 처를 죽이고, 내 아이도 죽이고, 이 집 전체를 죽이겠지. 하지만 저건 걸작이 될 거야. 맹세코.

예술의 이름으로 저주받은 자들, 예술에게 버림받으면 차라리 죽는 것이 나은 자들에게 용기의 채찍을 내려치는 영원한 신기루가 걸작에 대한 환영이다. 그 환영에 휩싸인 클로드는 결국 절망 속에서 자살한다. 클로드 역을 맡은 배우 K는 파리 유학 시절에 만나 숙소를 함께 쓴 친구였다.

우리의 숙소는 지은 지 백 년이 넘은 아파트 8층 다락방이었다. 현관문을 열고 들어가면 길이 두 개 있다. 엘리베이터로 향하는 길과 한쪽 구석에 붙어 있는 작은 문으로 향하는 길이다. 8층 꼭대기에 사는 사람들은 작은 문으로 가야 한다. 본래 하녀들의 방이었던 8층은 세월이 흐르면서 자연스럽게 가난한 사람들의 숙소가 되었다. 작은 문을 열면 나선형 철제 계단이 빙글빙글 돌며 8층으로 이어져 있다. 싸구려 포도주에 취한 밤이면 철제 계단이 하늘로 연결되어 있는 사다리처럼 보인다. 금방이라도 떨어질 것 같은 느낌 속에 마지막 계단을 딛고 올라서면 좁은 복도를 사이에 두고 여덟 개의 방이 다닥다닥 붙어 있다. 복도 끝에는 공동 화장실이 있다. 하녀의 방이 품고 있는 유일한 보석은 경사진 지붕 아래에 만들어

진 창이다. 창 앞에 서면 파리의 하늘과 함께 오래된 지붕들
이 환히 보인다. 우리는 창 앞의 테이블에 앉아 포도주를 마
시며 새벽빛이 창으로 스며들어 올 때까지 연극에 관한 몽상
들을 나누곤 했다.

K는 클로드로 변신하기 위해 졸라의 『작품』 속 풍경을 클
로드의 눈으로 보았고, 『작품』에서 들려오는 소리를 클로드
의 귀로 들었고, 『작품』에서 피어오르는 냄새를 클로드의 코
로 맡았고, 『작품』에 차려진 술과 음식을 클로드의 혀로 맛보
았고, 『작품』에 등장하는 인물들을 클로드의 생각과 감정으로
만났다. 클로드의 영혼이 K의 내면으로 흘러들어 오기 시작
한 것은 연극 공연 시작 하루 전이었다. 그의 살과 뼈가 클로
드의 살과 뼈로 바뀌고, 그의 눈과 귀와 혀가 클로드의 눈과
귀와 혀로 바뀌면서 그의 기억과 생애가 클로드의 기억과 생
애로 바뀌었다. 무대 바깥에서도 클로드의 영혼에서 제대로
빠져나오지 못했다. 그런 상태가 마지막 공연까지 계속되었
다. 공연 기간 한 달 동안 관객이 예상보다 많았고, 연극계 인
사들의 평이 좋았던 것은 순도 높은 그의 연기 때문이었다.

마지막 공연은 오후 4시에 시작하여 5시 반에 끝났다. 관객
들이 기립 박수를 보내는데도 K는 클로드의 영혼에서 벗어나
지 못했다. 쫑파티에서도 별로 달라지지 않은 것 같았다. 눈
빛이 몽롱했고, 동작이 흐느적거렸다. 그가 술자리에서 사라
진 것은 밤 11시 무렵이었다. 소리 없이 나가는 그의 뒷모습

을 보았지만 잡지 않았던 것은 그에게 혼자만의 시간이 필요한 듯 느껴졌기 때문이다. 친구의 마지막 모습인 줄은 까맣게 모른 채.

K의 시신은 다음 날 아침 그가 공연한 무대에서 발견되었다. 그는 클로드처럼 목을 맸다. 유서는 발견되지 않았다. 그의 아내는 물론 그와 가까운 사람들은 그가 자살한 이유를 알지 못했다. 나는 자살 이유를 찾기 위해 내가 할 수 있는 모든 노력을 다했지만 아무것도 찾지 못했다. 그러자 일곱번째 공연을 마치고 술자리에서 그가 나에게 한 말이 머리에 가시처럼 박히기 시작했다. 그는 무대에 서면서부터 자신이 클로드에게서 못 빠져나올지도 모른다는 두려움에 간혹 사로잡힌다고 하면서, 클로드의 영혼과 간격을 유지하려고 애를 쓰지만 잘 안 된다고 말했다. 그때 나는 내심 기뻤다. 그가 연기에 깊이 몰입되어 있음을 확인했기 때문이다.

시간이 흘러도 머리에 박힌 가시는 좀처럼 사라지지 않았다. 빼내고 싶었지만 마땅한 방법이 없었다. 내가 「플라톤의 동굴」을 쓰기 시작한 것은 가시를 빼내고 싶은 마음에서였다.

2

「플라톤의 동굴」 주인공 K는 파리 10대학에서 예술사 박사과정을 밟고 있을 때 한국의 모 문예지로부터 그가 투고한 소설이 당선 작품으로 선정되었다는 연락을 받는다. 그 순간 그는 박사학위를 포기하기로 결심한다. 영혼의 꼴이 학문에 적합하지 않다는 것을 그전부터 알고 있었던 것이다. 그의 아내는 박사학위가 지척에 있는데 왜 돌아서려고 하느냐, 그동안 공부한 것이 아깝지 않느냐, 학위를 따고 나서 소설을 써도 늦지 않다는 등등의 말을 하면서 그의 결심을 바꾸려고 애를 쓴다. 학문을 하면서도 얼마든지 좋은 소설을 쓸 수 있다는 것이 그녀의 논리다.

그가 학문과 창작을 동시에 한다는 것은 학문과 창작 모두에 대한 모독이라고 말하자 그녀는 마침내 이혼을 거론한다. 그녀의 꿈은 남편이 대학에 자리 잡는 것이다. 서울 소재 사립대 이사장과 친분이 두터운 그녀의 아버지는 박사학위만 받아 오면 교수 자리를 책임지겠다고 약속했다. 그 꿈이 무너지게 되었으니 마지막 카드를 내민 것이다.

K가 아내에게 5년만 기다려달라고 제의한 것은 그녀의 걱정을 이해하고 있었기 때문이다. 5년 후에도 지금의 걱정이 사라지지 않으면 이혼을 받아들이겠다고 했다. 그런 제의를 한 것은 소설가로 성공할 자신이 있었기 때문이다. 그녀는 남편의 결심을 바꿀 수 없다는 것을 깨닫고 마지못해 받아들인다. 그 후 한 달이 채 못 되어 그들은 파리를 떠나 서울로 돌아온다.

K는 "내가 소설을 꿈꾼 것은 새로운 세상을 꿈꾸었기 때

문이다. 이런 꿈을 갖게 된 것은 소설이 인간의 본성을 바꿀 수 있는 힘을 갖고 있다는 믿음 때문이다. 인류의 참된 진화는 인간의 본성을 바꾸는 데서 출발한다"는 내용의 당선 소감을 쓴다. 당선 소감에는 쓰지 않았지만, 그런 믿음을 갖고 쓰는 소설가들이 K의 눈에는 잘 보이지 않았다. 아내에게 5년만 기다려달라고 자신 있게 말할 수 있었던 까닭은 거기에 있다. 당선 소감을 쓸 때 문단과 독자의 갈채가 귀에 들리는 듯했다.

그 후 5년 동안 장편소설 두 편과 단편 세 편을 발표한다. K를 등단시키는 데 가장 큰 역할을 했던 모 평론가가 그의 소설에 대해 인류의 운명에 대한 고전적이며 보편적인 문제의식을 실험적 기법으로 육화시킨 문제작이라고 칭송했을 뿐 문단의 반응은 거의 없었다. 서점에서도 외면받았다. 아내와 약속한 5년의 세월이 흐르는 동안 그가 기대했던 방향과 거꾸로 흘러간 것이다. 문단과 대중은 열렬한 찬사는커녕 그의 소설에 눈길조차 건네지 않았다. 그들의 찬사는 대중에게 널리 알려진 몇몇 작가들의 작품으로 향하고 있었다. 낯익은 내용과 형식에 당의정을 적절히 바른 작품들이었다. 저속한 질투가 아니었다. 그런 현상의 배경에는 문학을 상품의 대상으로 생각하는 자본주의의 물신성이 구조적 형태로 자리 잡고 있었다. 눈앞에 부닥친 현실은 냉혹했다.

아내의 눈에 비친 K의 모습은 인생의 소중한 시기에 열정을 헛되이 탕진하고 자기혐오와 모멸감에 허덕이는 무능한 작가이다. 그런 자신의 모습을 K는 받아들이지 못한다. 그것을 받아들이는 순간 자신을 습격할 끔찍한 절망과 외로움의 공포를 견딜 수 없을 것 같기 때문이다. 관습에 눈이 멀어 관습에 복종하지 않는 혁신적 작품을 알아보지 못하고, 세계의 폐허를 느끼는 영혼만이 부를 수 있는 슬프고도 장엄한 노래를 들을 줄 모르는 문학인들과 대중의 천박한 무능을 탓하다가 아내가 받아들이지 않자, 초조해진 그는 급기야 세 살 된 아들에게 책임을 뒤집어씌운다.

아내가 임신한 것은 등단한 지 2년째에 접어든 봄이었다. 그는 5년 동안 아이를 갖지 않기를 원했다. 소설 창작에 전념하기 위함이었다. 아내는 그런 남편의 마음을 받아들였다. 그런데 덜컥 임신이 되어버린 것이다. 아이를 낳기까지의 과정과 아이를 낳은 이후의 생활을 생각하면 머리가 아팠다. 그는 아내에게 아이를 낳을 경우 소설 창작에 끼치게 될 부정적 요인들을 조심스럽게 이야기했다. 그녀는 눈에 보이지도 않는 소설을 위해 눈에 보이는 생명을 지우자는 게 말이 되느냐고 항변하면서, 당신은 작가이기 전에 한 여자의 남편이며, 새 생명의 아버지이기도 하다고 눈물을 흘리며 말했다. 그러면서 덧붙이기를, 작가의 입장에서도 아이에 대한 그의 생각은 올바르지 않다고 했다. 생명을 창조하는 것이 작가의 일인데, 어떻게 세상에서 가장 소중한 생명을 죽이려 하느냐는 것이다. 그가 결정적으로 기가 죽은 것은 그녀의 마지막 말 때문이었다.

아이는 기쁘면서도 괴롭게 하는 생명체였다. 그는 아이라는 생명체와 소설이라는 생명체 사이에 끼여 있는 느낌이었다. 두 생명체는 한 공간에서는 함께 숨 쉴 수 없었다. 여기에 있어야 하는데 아이가 있는 저기로 건너가야 할 때는 화가 치밀어 올랐다. 돌이켜보면 그 화는 아이가 불러일으키는 기쁨에 비하면 보잘것없었다. 그럼에도 그는 기쁨을 쉽게 잊고 화에 허우적거렸다.

K가 아내에게 그때 아이를 낳지 말았어야 했다고 말할 때 그녀의 안색이 창백해진다. 그는 흠칫 놀란다. 아내의 눈빛 때문이다. 분노와 경멸로 눈이 번쩍이고 있다.

"지난 5년 동안 당신이 우리에게 무슨 짓을 했는지 알아요? 당신은 소설이라는 꿈의 세계에 갇힌 몽유병자였어요. 나는 당신의 꿈을 당신만큼은 아닐지라도 소중히 생각했어요. 우리의 미래가 걸려 있었으니까요. 하지만 당신은 꿈에서 벗어나야 할 짧은 시간에서조차도 꿈을 끌고 다녔어요. 제가 아무리 힘들어도 당신은 구경꾼처럼 보고만 있었어요. 아이가 아파 애처롭게 우는데도 당신은 꿈의 자리에서 꿈쩍도 하지 않았어요. 당신이 당신의 꿈에 갇혀 있는 동안 나는 여기저기 생활비를 구걸하러 다녔어요. 당신이 남편으로서, 한 아이의 아버지로서 나에게 어떻게 비쳤는지 조금이라도 알기만 한다면......"

K는 이혼만은 피하려고 노력한다. 하지만 아내의 마음을 돌이키기에는 그동안 받은 상처가 너무 컸다. 그 상처 앞에서 그는 무력하다. 그녀는 아이 외에는 아무것도 요구하지 않는다. 그나마 다행이다. 길들여지지 않는 어린 짐승 같았던 아이가 막상 떠난다고 생각하니 자신의 일부처럼 느껴진다. 그는 소중한 일부가 뜯겨 나가는 고통 속에서 아이와 작별한다.

이혼 후 서울 변두리의 낡은 오피스텔에서 술로 시간을 죽이며 겨우 숨 쉬고 있었던 K는 어느 날 자살을 결심한다. 희망이 사라진 삶의 방에서 자살이라는 새로운 손님을 기다리기로 결심한 것이다. 마음을 약간 설레게까지 하는 그 손님을 기다리면서 읽은 책은 학창 시절 그에게 예술에 대한 무한한 동경을 심어준 졸라의 장편소설 『작품』이다. 소설을 쓰면서 잠깐, 스쳐 지나가듯이 보았던 예술의 심연에 자신을 영원히 묻고 싶었던 K에게 걸작이 되리라 믿었던 자신의 그림 앞에서 목을 맨 클로드의 영혼이 황홀한 연인으로 다가온다.

클로드의 영혼을 얻기 위해서는 클로드로 변신해야 한다. 그는 『작품』 속 풍경을 클로드의 눈으로 본다. 『작품』에서 들려오는 소리를 클로드의 귀로 듣고, 피어오르는 냄새를 클로드의 코로 맡고, 『작품』에 차려진 술과 음식을 클로드의 혀로 맛보고, 『작품』의 인물들을 클로드의 생각과 감정으로 만난다. 그런 나날들이 계속되자 언젠가부터 클로드의 영혼이 그의 영혼 속으로 흘러들어 오는 것을 느끼기 시작한다.

그의 영혼이 클로드의 영혼과 뒤섞이면서 처음에는 무척 혼란스러웠다. 정체성의 감각이 희미해지면서 자신의 자아가 흩어져 어디론가 사라져버릴지도 모른다는 두려움이 일었다. 하지만 시간이 흐르면서 클로드의 영혼과 간격을 유지하는 방법을 터득하게 되었고, 마침내는 한쪽 구석에 조용히 자리 잡아 클로드의 영혼을 관찰할 수 있게 되었다.

그러던 어느 날 클로드의 얼굴이 보이기 시작한다. 얼굴을 이루는 선의 굴곡과 색채가 너무 흐려 금방이라도 사라질 것 같지만 윤곽은 비교적 또렷하다. 밝은 갈색의 피부는 턱 전체를 덮고 있는 회색빛 감도는 검은 수염으로 창백하게 보인다. K는 숨을 멈춘 채 클로드의 얼굴을 응시한다. 어디선가 본 듯하다. 머릿속에서 먼 기억 하나가 아지랑이처럼 어른거린다. 그가 화가라는 생각이 드는 순간 그림 한 폭이 떠오른다. 세잔이 그린 「팔레트를 든 자화상」이다. K의 입에서 탄성이 흘러나온다. 클로드는 「팔레트를 든 자화상」 속의 세잔 얼굴을 하고 있었던 것이다.

졸라는 『작품』 구상 단계에서 주인공 클로드에 대해 "극적으로 각색한 마네나 세잔, 굳이 말하면 세잔에 가까운 인물"이라고 메모했다. 졸라와 세잔은 오랜 세월 동안 우정을 나눈 사이였다. 세잔이 인간의 최고 덕목으로 우정을 꼽은 것은 졸라와의 우정 때문이었다. 두 사람의 우정이 얼마나 깊은지,

그들이 주고받은 편지를 보면 알 수 있다.

세잔이 28세 때 그린 「유괴」는 강변의 어두운 숲속에서 근육질의 남성이 흰 피부의 벌거벗은 여성을 포옹하는 자세로 들어 어디론가 가고 있는 그림이다. 이 그림에 대해 하데스가 페르세포네를 납치하는 장면, 헤라클레스가 알케스티스를 지하 세계에서 구출하는 장면이라는 해석이 있는가 하면, 그림의 배경이 소년 시절의 추억이 서린 생트빅투아르산과 아르크강이라는 것을 근거로 남자를 졸라, 여자를 세잔으로 해석함으로써 졸라에 대한 세잔의 동성애적 감정의 표현임을 암시하는 해석도 있다.

『작품』의 주인공인 클로드는 세잔을 모델로, 클로드와 가장 가까운 친구인 소설가 상도즈는 졸라 자신을 모델로 창조한 인물임을 소설을 읽으면 금방 알 수 있다. 그런데 클로드가 「팔레트를 든 자화상」 속의 세잔 얼굴을 하고 있는 것이다. 그것은 모순이면서 모순이 아니다. 모순인 것은 클로드는 세잔을 모델로 창조한 인물이지 세잔은 아니기 때문이다. 모순이 아닌 것은 「팔레트를 든 자화상」 속의 세잔 역시 세잔 자신을 모델로 창조한 인물이지 세잔 자체는 아니기 때문이다.

세잔이 마흔여섯 살에 그리기 시작해 마흔여덟 살에 완성한 그 그림은 대단히 희귀한 자화상으로 알려져 있다. 그림의 중심이 자신임에도 존재감이나 주체성이 잘 드러나지 않는다. 오히려 작가가 그것을 숨기려고 노력한 듯이 보인다. 인물을 팔레트와 캔버스, 이젤과 같은 사물들과 동일한 존재로 취급했다는 비판을 받은 이유는 여기에 있다.

인물의 시선도 특이하다. 자화상은 일반적으로 시선을 밖으로 향하게 하여 관람자의 시선과 마주치게 한다. 관람자가 그림 속 인물이 자신을 보고 있다는 느낌을 갖도록 그리는 것이다. 이런 관점으로 보면 자화상에서 가장 중요한 부분은 눈이다. 고흐의 자화상은 아주 좋은 예이다. 하지만 「팔레트를 든 자화상」에서 관람자는 인물의 시선과 눈을 마주칠 수 없다. 게다가 눈빛이 너무 공허해 아무것도 보고 있지 않는 것처럼 느껴진다.

K는 당황한다. 그가 클로드의 영혼을 원한 것은 클로드가 선택한 생애를 따라가기 위함이다. 그런데 클로드는 세잔의 육신, 정확히 말하면 「팔레트를 든 자화상」의 세잔 육신 속에 있었다.

세잔의 육신에 깃든 영혼을 클로드의 영혼이라 할 수 있을까. 혹시 세잔의 영혼일 가능성은 없을까. 자살하지는 않았지만 세잔 역시 클로드처럼 자신의 그림 앞에서 끊임없이 절망한 화가다. 오랜 생각 끝에 K는 클로드의 영혼과 세잔의 영혼을 정확히 구분한다는 것은 불가능할 뿐 아니라 무의미하다는 결론을 내린다. 클로드가 세잔의 육신 속에 있는 것은 클로드의 영혼이 세잔의 영혼 속으로 흘러들어 가 일부를 이루고 있기 때문이라고 생각한 것이다.

졸라가 『작품』을 발표한 것은 그의 나이 46세 때인 1886년이었다. 졸라는 그전처럼 자신의 새 소설을 세잔에게 보냈는데, 세잔의 답신은 그전과는 달리 차갑고 건조했다. 그 이후두 사람 사이에 어떤 교류도 없었다. 영원할 것 같았던 그들의 우정은 『작품』의 출간과 함께 무너졌다. 『작품』이 세잔에게가한 상처는 그토록 깊었다.

세잔이 「팔레트를 든 자화상」을 완성한 것은 『작품』 출간이후로 알려져 있다. 세잔이 자화상을 그리고 있었을 때 클로드를 알고 있었던 것이다.

자화상을 그린다는 것은 글자 그대로 자기 자신을 그리는것이다. 그냥 그리지 않는다. 자신을 투시하여 그린다. 진정한 투시는 눈에 보이지 않는 영혼을 육신을 통해 형태화할 때이루어진다. 「팔레트를 든 자화상」을 그릴 당시 세잔은 졸라의 『작품』에서 받은 상처로 괴로워하고 있었다. 아마도 세잔의 영혼 속에 클로드의 영혼이 출렁거리고 있었을 것이다. 세잔이 자신의 얼굴을 사물처럼 차갑고 공허하게 그린 것은 클로드의 죽음을 가슴에 품고 있었기 때문이라는 생각에는 충분한 개연성이 있다. K의 영혼 속으로 클로드의 영혼이 흘러들어 온다는 것은 세잔 영혼의 일부가 흘러들어 온다는 것을뜻하는 것이다. 세잔은 클로드와 달리 생의 마지막까지 그림을 그리다 죽는다. 그러니까 K는 자살할 수 없는 것이다. 더욱이 클로드는 허구의 인물이지만 세잔은 실제 인물이다.

K는 세잔의 영혼이 너무 궁금했다. 세잔의 영혼 속에는 예술이 품고 있는 심원한 비밀이 있을 것 같았다. K가 파리로 다시 간 것은 세잔의 영혼에 좀더 가까이 가기 위함이다.

세잔이 고향 엑상프로방스를 떠나 파리에 온 것은 그의 나이 스물두 살 때인 1861년이었다. 해마다 살롱전에 출품했지만 그에게 돌아오는 것은 파리의 수구적인 화단 권력의 혹평이었다. 1867년 마르세유에서 전시한 작품은 대중의 조롱과 분노 때문에 철수시켜야 했다. 살롱전에 매달릴 것이 아니라 대중에게 직접 작품을 내보이자는 모네의 제안으로 1874년에 만들어진 '인상주의 작품전'에서도 혹독한 비판을 받았다. 환멸을 느낀 세잔은 두번째 작품전에는 작품을 내지 않았다. 세번째 작품전이 다가오자 다시 기대를 품고 열일곱 점의 작품을 냈다. 하지만 첫번째 작품전보다 더 큰 비난이 쏟아졌다. 세잔에게 파리는 꿈의 도시였지만, 환멸과 상처의 도시이기도 했다. K는 그 도시를 찾아 서울을 떠난다. 번역거리 등으로 그에게 호구지책을 마련해준 출판사 사장 외에는 누구에게도 알리지 않는다. 이혼한 지 4년째 되던 가을이었다.

파리에서 구한 숙소는 지은 지 백 년이 넘은 아파트 8층 다락방이다. 현관문을 열고 들어가면 길이 두 개 있다. 엘리베이터로 향하는 길과 한쪽 구석에 붙어 있는 작은 문으로 향하는 길이다. 8층 꼭대기에 사는 사람들은 작은 문으로 가야 한다. 본래 하녀들의 방이었던 8층은 세월이 흐르면서 자연스럽게 가난한 사람들의 숙소가 되었다. 작은 문을 열면 나선형 철제 계단이 빙글빙글 돌며 8층으로 이어져 있다. 싸구려 포도주에 취한 밤이면 철제 계단이 하늘로 연결되어 있는 사다리처럼 보인다. 금방이라도 떨어질 것 같은 느낌 속에 마지막 계단을 딛고 올라서면 좁은 복도를 사이에 두고 여덟 개의 방이 다닥다닥 붙어 있다. 복도 끝에는 공동 화장실이 있다. 하녀의 방이 품고 있는 유일한 보석은 경사진 지붕 아래에 만들어진 창이다. 창 앞에 서면 파리의 하늘과 함께 세월을 느끼게 하는 오래된 지붕들이 환히 보인다.

K는 클로드의 영혼을 늘 곁에 둔다. 세잔의 영혼 속으로 들어가려면 클로드의 영혼이 필요하다. K와 세잔을 연결하는 사다리 역할을 하기 때문이다.

클로드의 영혼을 곁에 둔다는 것은 죽음을 곁에 둔다는 것을 뜻한다. 죽음을 어떻게 곁에 둘 수 있느냐고 묻고 싶은 독자가 있을지 모르겠다. 그런 독자에게 인간을 비롯한 모든 생명체는 자신의 몸속에 죽음을 품고 있다는 사실을 환기시키고 싶다. 인간은 불멸의 존재가 아니다. 이 명백하고 단순한 사실을 잊고 있거나 애써 외면하고 있을 뿐이다. 인간이 저지르는 죄악의 대부분은 여기에서 비롯되고 있다고 나는 생각한다. 예술가들이 눈에 보이지 않는 죽음을 왜 그토록 집요하게 형태화시키는지, 곰곰이 생각해볼 필요가 있다.

세잔은 K에게 영혼의 출구를 좀처럼 열어주지 않는다. 클로드의 영혼에 잠겨 세잔에게로 다가간다고 느끼는 순간 은 산철벽 같은 것이 가로막는다. 그것을 넘으려면 나비가 되거 나, 흐르는 물이 되거나, 한 줄기 바람이 되어야 한다. 불가능 한 변신이다. 그 불가능 앞에서 K는 기진맥진한 상태가 되어 어머니에게 순종하는 어린아이처럼 클로드가 느꼈던 성스러 운 공포의 손길에 자신을 맡긴다.

그런 나날 속에서 시간은 덧없이 흘러간다. 해가 바뀌고, 봄이 지나도 세잔의 영혼은 여전히 은산철벽이다. 아내에게 전화가 온 것은 날씨가 더워지던 6월 어느 날이다. 이혼 후 처 음으로 받은 전화다. 아이가 죽었다고 한다. 나이를 헤아려 보니 고작 여덟 살이다. 백혈병 때문이라고 하면서, 화장 후 뼈를 경기도 어느 산의 나무 밑에 묻었다고 한다. 아이의 상 태가 악화되자 그에게 연락하려 했으나 연락처를 구할 수 없 었다고 건조한 목소리로 말한다. 아이가 죽고 난 후에야 어떤 지인을 통해 출판사 사장과 연결이 되어 전화번호를 알았다 는 것이다.

K는 아이가 백혈병에 왜 걸렸느냐고 묻는다. 아내는 침묵 한다. 침묵이 길어지자 아이가 힘들어하지 않았느냐고 묻는 다. 치료를 받는 동안 힘들었지만 눈을 감자 얼굴이 참 평안 해 보였다고 그녀는 물기 어린 목소리로 말한다. 당신은 괜찮 으냐고 또 묻는다. 아내는 잘 견딜 것이라고 대답한다. 재혼 은 했느냐는 물음에는 곁에 사람은 있지만 결혼은 하지 않았

224

다고 대답한다. K는 그녀가 자신에 대해 아무것도 묻지 않았다는 사실을 통화를 끝낸 후에야 깨닫는다.

아이의 죽음은 K에게 표현하기 힘든 슬픔과 고통을 불러일으킨다. 슬픔과 고통 속에서 포도주가 몸 안으로 물처럼 흘러 들어간다. 그는 몽롱한 취기에 싸여 하녀의 방 창 앞에 선다. 창 너머 하늘에는 별이 흐릿하게 보인다. 아이와 연관된 기억들이 흑백 사진처럼 떠올랐다 사라진다. 그런데 아이의 얼굴은 기억나지 않는다. 5년의 세월 동안 아이의 얼굴을 잊어버린 것 같다. 아버지가 아들의 얼굴을 잊는다는 건 불가능한 일이야. K는 그렇게 중얼거리며 필사적으로 기억을 헤집는다. 뭔가가 어렴풋이 떠오른다. 아이의 얼굴은 아니다. 어떤 풍경이다. 너무 흐릿해 수채화처럼 느껴진다. 눈을 감는다. 풍경의 선이 조금씩 짙어진다.

침대에 누워 있는 아이가 보인다. 눈을 뜨고 있고, 입술은 벌어져 있다. 벌어진 입술 사이에서 숨소리가 새어 나오지 않는다. 아이 곁에는 어떤 남자가 의자에 앉아 눈물을 닦으며 죽은 아이를 스케치하고 있다. 클로드다. 잠시 후 그 풍경이 사라지면서 다른 풍경이 나타난다. 액자 그림들이 빽빽이 붙어 있는 커다란 홀이다. 벽은 물론 천장에도 그림이 붙어 있다. 홀에는 수많은 사람이 있는데 윤곽만 간신히 보인다. 홀의 중앙에 서서 천장의 그림을 올려다보고 있는 클로드만이 온전한 형체를 갖추고 있다. 그의 시선이 향하는 곳은 역사와 종교를 소재로 한 대형 그림들 사이에 간신히 붙어 있는 작은 그림이다. 그림 속에는 조금 전에 본 아이가 있다. 유달리 크게 보이는 머리는 무게에 못 이겨 베개에 묻혀 있고, 내복 바깥으로 삐죽 나온 손은 추위에 떨다 죽은 어린 새의 오그라든 발처럼 보인다. 클로드의 아들 자크다.

　—아, 예술 작품을 창조한다는 것은 언제나 질 수밖에 없는 천사와의 싸움인 것을……

　클로드의 탄식 어린 목소리가 들려오면서 풍경이 바뀐다. 목을 맨 클로드가 허공에 걸려 있다. 거무죽죽한 혀가 입 바깥으로 길게 늘어져 있고, 튀어나온 두 눈에는 핏줄이 서 있다. 얼굴은 완성하지 못한 자신의 그림 쪽으로 향해 있다.

　클로드는 아들을 귀찮아했다. 그림 그리는 데 방해가 되기 때문이다. 그의 아내는 아이를 자주 꾸짖었다. 자크, 조용히 해. 아빠가 일하시는 것 안 보이니. 자크, 그만 좀 왔다 갔다 해. 아빠가 피곤해하시잖아. 좁은 집에서 언제나 얌전히 있어야 하는 아이는 자주 아팠는데, 어느 날 침대 위에서 소리 없이 죽었다. 슬픔에 차 있던 클로드는 죽은 아이를 그리기 시작한다. 얼음처럼 차갑게 굳은 아이는 어느새 열정을 자극하는 모델이 되어 있다. 이 장면이 첫번째 환영이다. 두번째 환영은 클로드가 죽은 아이를 그려 살롱에 출품한 자신의 그림을 쳐다보는 장면이고, 세번째 환영은 자신이 희구하는 그림을 그릴 수 없다는 절망에 휩싸여 자살한 클로드의 모습이다.

클로드의 영혼이 K의 영혼 속으로 그토록 깊숙이 들어온 것은 처음이다. 살과 뼈는 물론 창자조차도 클로드의 것이다. 아이의 죽음이 불러일으킨 고통 때문이다.

K는 아이를 진심으로 사랑한 적이 없다고 생각한다. 하지만 가슴속으로 못이 박히듯 파고드는 고통은 그런 생각을 지운다. 고통을 멈출 수만 있다면 무슨 짓이라도 할 것 같다. 창문을 연다. 습기 찬 바람이 뺨에 닿는다. 아래를 내려다본다. 어둠에 잠긴 포도 위에 머리가 깨져 핏물 속에 죽어 있는 육신이 어른거린다. 그의 육신이기도 하고, 클로드의 육신이기도 하다. 아이의 얼굴도 어른거린다. 얼굴이 제대로 보이지 않지만 아이임을 직감적으로 안다. 그의 아이이기도 하고 클로드의 아이이기도 하다. 창문을 닫는다. 그가 뛰어내리지 않는 것은 아이가 원하지 않기 때문이다. 아이의 슬픈 얼굴에서 그것을 느꼈다.

K는 다시 포도주를 마시기 시작한다. 얼마나 마셨는지 알 수 없다. 눈앞에 누군가가 보인다. 클로드다. K는 미소를 흘린다. 클로드의 입에서도 미소가 흘러나온다. K는 포도주를 가득 채운 잔을 클로드에게 건넨다. 그는 기꺼이 받는다. 그들은 포도주를 마시며 죽은 아이를 추억한다. 클로드가 눈물을 흘리면 K의 눈에서도 눈물이 절로 흘러나온다. 시간이 얼마나 지났는지 알 수 없다. 클로드의 목소리가 변한다. 클로드의 몸도 변하고 있다는 느낌을 받는다. K는 무엇에 홀린 듯

이 클로드를 멍하니 본다. 그는 클로드가 아니다. 세잔이다. 세잔은 K에게 보일 듯 말 듯한 미소를 지어 보인다.

"자네를 보고 있으면 시테섬이 아련히 떠오르네. 자네가 이승에서 마지막으로 보았던 시테섬을 난 영원히 잊지 못할 걸세. 하늘은 검게 그을리고, 서쪽에서 살을 에는 듯한 삭풍이 휘몰아치는 겨울밤이었지. 파리는 가스등만 켜져 있는 채로 잠들어 있었어. 가로등의 둥근 불빛은 멀어질수록 점점 작아져 밤하늘에 빛나는 작은 별들 같았지. 자넨 죽은 아이를 그리고 난 후로 누군가가 자네를 부르는 소리를 듣기 시작했어. 그 소리는 시테섬에서 들려오고 있었어. 자네에게 시테섬은 풍경을 넘어서는 무엇이었지. 자네가 그림에서 찾으려 했던 궁극의 대상이었으니. 플라톤의 이데아 같은 것이라고 할까……"

세잔은 눈을 감았다 잠시 후 뜬다. 눈자위가 충혈되어 있다.

"자넨 자네를 떠나고 싶어도 떠날 수 없는 여인에게 말했지. 이 세상 모든 것을 잊게 할 수 있는 무언가가 필요하다고. 그것을 찾으려 자넨 여인을 버리고 어디로 갔는가? 강 너머로 갔어. 시테섬 너머로. 누구도 따라갈 수 없는 곳으로. 그래, 거기서 자넨 자네가 원하는 걸 찾았나?"

그것은 대답할 수 없는 질문이다. 세잔은 그 사실을 아는 듯 대답을 기다리지 않는다.

"자네의 죽음은 나의 죽음이었어. 자넨 나의 일부였으니까.

지금은 자네와 이렇게 다정하게 마주 앉아 이야기를 하지만, 처음에는 자네를 본다는 것이 너무 끔찍했어. 왜냐하면…… 자넨 나였으니까. 우리는 우리 자신을 볼 수 없어. 거울에 비치는 모습은 자기 자신이 아냐. 얇은 거죽일 뿐이니까. 신이 인간에게 자기 자신을 볼 수 있는 능력을 주지 않은 것은, 그런 능력을 주었을 경우 일어날 수 있는 혼란을 우려했기 때문이었을 거야. 자신을 본다는 것이 너무 끔찍하니까. 모든 진실이 자신을 보는 데서 시작되는 이유는 여기에 있어. 이런 점에서 예술가라는 족속은 신의 의지를 거역하는 자들이야. 진실의 끔찍함을 드러내는 자들이니까. 끔찍함을 견디면서. 졸라는 자네를 통해 내 모습을 냉혹하게 그려냈어. 난 그 끔찍함을 견뎌야 했지. 졸라와 교류를 끊은 것은 내가 견뎌야 했던 끔찍함의 고통을 그에게 보여주고 싶지 않아서였어. 그것은 뭐라 할까…… 일종의 자존심이었어."

세잔의 얼굴에는 애잔한 추억의 빛이 서려 있다.

"졸라는 자네의 죽음을 통해 나를 죽였어. 죽음을 품는다는 것이 얼마나 고통스러운지 자넨 알 걸세. 하지만 어쩔 수 없었어. 자네의 죽음은 곧 나의 죽음이었으니까. 그러니 졸라를 미워할 수밖에. 난 기회만 있으면 졸라를 욕했어. 가슴을 끊임없이 찌르는 고통의 가시를 뽑아내고 싶었으니까. 그것이 얼마나 바보 같은 짓인지 그땐 몰랐어."

세잔의 눈에 눈물이 고이고 있다.

"자네가 시테섬에서 찾고자 한 것은 무엇이었나? 진정한 예술가라면 그리워하지 않을 수 없는 어떤 것이지. 그것이 없다면 살 수도 죽을 수도 없는 어떤 것 말일세. 그럼에도 왜 그것을 찾지 못할까? 심연 속에 있기 때문이지. 너무나 깊어 고통 없이는 들여다볼 수 없는 심연 말일세. 수많은 예술가가 그 고통을 견디다 미치거나 자네처럼 심연 속으로 뛰어들었지. 그래, 자네가 뛰어든 곳은 심연이었어. 졸라는 그 심연을 내 가슴에 집어넣은 거야. 그것이 예술가에게는 얼마나 귀중한 선물인지 난 몰랐어. 심연을 가슴에 품었으니 심연을 들여다볼 수밖에. 이제 알겠나? 졸라가 나에게 어떤 선물을 주었는지. 내가 심연을 들여다보는 고통을 견디지 못했다면 자네처럼 자살했을 걸세. 하지만 난 자살하지 않았어. 졸라 때문이었어. 난 졸라에게 심연이 품고 있는 궁극의 꽃을 보여주고 싶었어. 왜냐하면 난…… 졸라를 사랑했으니까. 졸라는 나에게는 없는 영혼, 내가 전생에서든 이승에서든 어디에선가 잃어버린 영혼을 갖고 있었네. 그러니 사랑하지 않을 수 없었지."

목소리에 짙은 고통이 배어 있다.

"자넨 시테섬에서 자네를 부르는 소리를 들었지만 난 생트빅투아르에서 나를 부르는 소리를 들었다네. 생트빅투아르는 태양 속에 있으면서 태양을 늘 목말라하지. 산의 거대한 바윗덩어리들은 불에서 나왔다네. 지금도 불을 머금고 있어. 그

불의 중심에 무엇이 있는지 아는가? 플라톤의 동굴이 있네. 우리에게 진리의 근원을 알려주는 플라톤의 동굴이 말일세. 그 동굴 속에는 아직도 나를 부르는 소리가 맴돌고 있어. 커다란 날개를 펄럭이며 입에서 푸른 불꽃을 내뿜는 새처럼."

세잔의 시선은 동굴 속을 맴도는 새를 보는 것처럼 허공을 천천히 선회하고 있다.

"색은 화가의 정신이 우주와 만나는 자리야. 진정한 화가에게 색이 그토록 드라마틱하게 느껴지는 이유는 여기에 있지. 난 밤에는 그림을 그리지 않았어. 색이 보이지 않으니까. 내게 밤이란 색채로 가득 차 있는, 나와 한 몸이 되었던 풍경으로부터 벗어나기 위한 시간이었어. 아침이 오면 풍경의 뼈대가 드러나고 지층들이 이루어지면서 구도가 다시 잡히기 시작하지. 모든 것들이 수직으로 떨어져 내리고, 어렴풋한 선들은 풍경을 감싸며 꿈틀거리네. 그러면 나의 내부 깊은 곳에서 감각이 에너지와 색채로 솟아오르네. 그것은 영혼의 시선이 뿜어내는 광채이네. 형태를 드러낸 신비로움이고, 땅과 태양, 이데아와 색채의 교감이라네. 공기처럼 떠돌던 색의 질서가 비로소 어둠과 완고한 기하학을 밀어내고 모든 것들을 새롭게 배열하는 거야. 나는 본다네. 색채가 세계를 무너뜨리는 광경을 말일세. 새로운 세계는 그 폐허에서 창조되네. 이데아로 이루어진 새로운 세계의 시간이 말일세. 거기엔 색채의 광휘와, 그것을 생각하는 존재와, 태양을 향해 솟아오른

땅덩어리와, 깊은 곳에서 넘쳐흐르는 사랑이 있네. 죽음의 심연을 견딘 예술가만이 짧은 그 순간을 포착할 수 있다네. 궁극의 꽃을 품고 있는 그 순간을 말일세. 하지만 졸라는 날 기다려주지 않았어. 그 꽃을 보여주기 전에 세상을 떠나버렸으니……"

졸라는 『작품』을 발표한 지 16년 후인 1902년 9월 가스 중독으로 사망했다. 일부 사람들은 졸라의 반대 세력들이 졸라를 암살하고 사고로 위장했다고 주장했지만 입증되지는 않았다. 졸라는 1898년 「나는 고발한다」는 논설로 드레퓌스에게 유죄 판결을 내린 군부를 신랄하게 비판하여 국수주의자들의 표적이 되었다.

"졸라의 죽음으로 난 허깨비가 되었어. 삶의 지향점을 잃어버렸으니. 내가 허깨비가 되자 나를 찬미하는 사람들이 갑자기 늘어나더군. 젊은 예술가들은 성지 순례하듯 로브 언덕에 있는 내 작업실을 찾아왔어. 난 조금도 기쁘지 않았어. 허깨비였으니까. 하지만 예술가로서의 열정은 잃지 않았어. 오히려 더 불타올랐어. 내가 모르는 어디에선가 졸라가 내 그림을 보고 있을지도 모른다는 아련한 희망 때문이었지."

세잔의 시선은 허공에 있다. K의 눈에는 보이지 않는 어떤 존재를 보는 것 같다. 무대 조명이 하나둘 꺼지면서 어둠이 두 사람을 조금씩, 천천히 지운다.

3

비망록은 생각보다 길어졌다. 가능한 한 짧게 쓸 생각이었다. 하지만 몸 안에서 말들이 자꾸 흘러나왔다. 어쩌면 내 머릿속에 박혀 있는 가시 때문일지도 모른다. 비망록 서두에서 가시를 빼내고 싶은 마음에서 「플라톤의 동굴」을 쓰기 시작했다고 서투르게 고백해버렸는데, 돌이켜보면 그건 불가능한 욕망이었다. 친구 K의 죽음은 나에게 심연과 같은 것이었다. 가시는 그 심연 속에 있다. 가시를 찾으려면 심연 속으로 들어가야 한다. 심연의 표면에서 허우적거리다 나온 것이 「플라톤의 동굴」이었다.

「플라톤의 동굴」 마지막 장면은 생트빅투아르를 찾아 엑상프로방스행 기차를 타는 K의 뒷모습을 담고 있다. 그의 뒷모습이 차가운 푸른빛에 싸여 윤곽이 희미해지고 있을 때 막이 내려온다. 객석에서 그 장면을 여러 번 보았는데, 언젠가부터 K의 뒤를 따라가고 싶은 충동이 일었다. 내가 K의 뒤를 따라 엑상프로방스에 간 것은 「플라톤의 동굴」 공연이 끝난 지 보름 후였다. 인터넷을 통해 빌린 숙소는 구시가지에 위치한 오래된 아파트 꼭대기 층이었다. 아마 그곳도 그전에는 하녀의 방이었을 것이다.

생트빅투아르에 처음 마음을 빼앗긴 곳은 세잔 아틀리에 위쪽에 있는 로브 언덕이었다. 세잔이 생트빅투아르를 그리기 위해 자주 찾았던 곳이다. 프로방스의 강렬한 햇살 속에서 희게 빛나는 생트빅투아르의 단순하고 메마른 형태는 마음 깊은 곳에서 미묘한 파장을 일으켰다.

생트빅투아르를 자세히 들여다보기 위해 시내에서 버스로 30여 분 거리에 있는 메종 생트빅투아르를 찾았다. '세잔의 길'을 지나 톨로네를 거치는 길이다. 메종 생트빅투아르는 산의 남쪽에 있다. 거기에서는 청회색 석회암의 주름들이 하늘을 향해 거의 수직으로 치솟아 오른다. 장엄한 산괴(山塊)가 시선을 압도했다. 정상에 세워져 있는 십자가가 또렷이 보였다. 몽상을 불러일으키는 풍경이었다. 몽상의 언저리에는 세잔이 말한 '플라톤의 동굴'이 어른거렸다.

며칠 후, 생트빅투아르 남쪽 능선 끝자락에 위치한 퓔루비에 마을을 찾았다. 광장과 공원 중간쯤으로 보이는 평지에서 공놀이하는 노인들이 보였다. 한적한 마을이었다. 한 시간가량 산을 올랐음에도 제대로 된 길을 찾을 수 없었다. 돌과 가시 풀 들은 끊임없이 걸음을 방해했다. 건조하고 뜨거운 햇살은 나에게 그만 내려가라고 속삭이는 것 같았다. 나는 붉은 기와지붕이 있는 마을로 발걸음을 돌렸다.

다시 며칠 후, 생트빅투아르 북쪽 능선 끝자락인 보브나르그 마을로 갔다. 피카소가 만년에 살던 성이 있는 곳이다. 성 안에는 피카소의 무덤이 있다.

보브나르그에서 본 생트빅투아르는 남쪽에서 보는 모습과 너무 달랐다. 가파르고 장엄한 형상은 사라지고, 여느 산들처럼 푸르고 온화한 모습이었다. 앞과 뒤의 모습이 저렇게 다른 산이 또 있을까, 하는 생각이 절로 들었다. 산 초입 계곡에는 물이 콸콸 흘러내렸다. 등산로가 뚜렷이 나 있었고, 산행객들을 자주 만났다. 길은 구불구불하면서도 완만했다. 한 시간 남짓 걸었을까. 길이 골짜기로 내려가고 있었다. 골짜기 너머 능선으로 오르는 길이 보였다. 정상으로 이어지는 길이었다. 나는 골짜기로 내려가지 않았다. 정상으로 오를 마음의 준비가 되어 있지 않았던 것이다.

다시 며칠 후, 톨로네 마을에서 생트빅투아르를 올랐다. 비몽 댐을 지나, 건축기사였던 에밀 졸라의 아버지가 건설한 졸라 댐을 내려다보며 비베뮈스로 내려왔다. 비베뮈스로 내려가는 길 위에서 본 생트빅투아르는 또 다른 느낌을 불러일으켰다. 동적인 느낌보다 정적인 느낌으로, 거칠고 웅장한 느낌보다 여리고 예민한 느낌으로 다가왔다. 세잔의 그림에 나오는 비베뮈스 채석장 입구의 문은 닫혀 있었다.

비몽 댐 못 미쳐 오른쪽으로 휘어지는 길이 있다. 십자가가 세워져 있는 정상으로 가는 길이다. 톨로네에서 비몽 댐을 지나 비베뮈스 코스로 여러 번 갔음에도 정상으로 가는 길 쪽으로는 발을 딛지 않았다. 결국 나는 엑상프로방스를 떠날 때까지 정상에 오르지 못했다.

생트빅투아르 주변을 나는 홀로 맴돌지 않았다. K와 함께 맴돌았다. 그는 「플라톤의 동굴」 속 K이기도 했고, 친구 K이기도 했다.

"넌 왜 생트빅투아르 정상으로 오르는 길 앞에서 머뭇거렸지?"

엑상프로방스를 떠나는 기차 안에서 친구 K는 나에게 낮은 목소리로 물었다.

"난 세잔이 생트빅투아르를 일정한 거리를 두고 바라만 보았을 뿐 생트빅투아르 내부로 들어가지 않았을 거라고 생각해. 그에게 생트빅투아르는 신성한 존재였으니까."

인간은 신성한 존재에 대해 두 가지 두려움을 갖고 있다. 영원히 알 수 없는 존재에 대한 근원적 두려움과, 영원히 알 수 없는 존재의 내부를 들여다봄으로써 그 존재에 대해 갖고 있는 믿음 혹은 관념의 붕괴에 대한 두려움이다. 나의 머뭇거림은 그런 두려움의 잔영인지 모른다. 플라톤의 동굴이라는 '신성한 말'이 불러일으키는 두려움 말이다. 그런 나의 마음을 읽은 듯 K는 미소를 지으며 내 어깨를 토닥거렸다. 어깨에 닿는 손의 감촉이 따뜻했다.

비참한 생에 신성이 깃들 무렵

이소연
(문학평론가)

허무 위에 지은 언어의 사원

정찬은 1983년 무크지 『언어의 세계』에 중편 「말의 탑」을 발표하면서 등단한 이후, 벌써 35년여의 소설 이력을 훌쩍 넘긴 작가다. 이토록 긴 시간 동안 소설을 써온 작가에게는 어떤 수식어가 필요할까. '심오한' '경건한' '구도적인' 같은 단어들을 떠올린다면, 그는 (나를 포함해) 정찬의 소설을 오래도록 가까이해온 독자임이 틀림없다. 하지만 그는 새로운 소설을 내놓을 때마다 고정된 수식어로 몇 줄의 감상평을 요약하고자 하는 욕망을 좌절시키는 작가이기도 하다. 새로운 세계로 나아갈수록 정찬의 소설은 언어의 한계를 뛰어넘어 경건함 너머에 있는 숭고, 구도자의 자세를 무너뜨리는 인간 본성의 복잡성을 더욱 깊숙이 천착하는 것처럼 보이기 때문이다.

정찬의 소설은 때로 비교적 확실한 구원 또는 희망의 가능성을 제시할 때조차 인간의 치명적인 조건, 즉 이면에 있는 죽음의 실존을 동시에 상기시켜준다. 이러한 모호성은 사실 그의 소설이 물러설 수 없는 윤리의 최저 지점일 것이다. 신성과 초월을 확고한 것으로 만들고자 하는 인간의 욕구를 억누르는 그 지점에서 그의 이야기는 매번 매듭지어지고 또 다음 편으로, 다른 시공간에 살아가는 인물들의 삶 속에서 운명의 연쇄 고리를 찾아간다. 그도 그럴밖에. 그의 소설이 빛과 신성의 도래를 약속하는 그 지점이야말로 사실 인간이 가장 고통스러운 상실에 맞닥뜨리는 순간인 것이다. 이 순간 인간을 휘몰아치는 죽음의 폭풍으로부터 꺼내주기 위해 필요한 것은 신의 손밖에 없다. 따라서 정찬의 소설에는 가장 황홀하게 빛나는 구원의 순간과 가장 처참하게 몰락하는 상실의 장면이 공존할 수밖에 없는 것이다. 이렇게 그의 소설들은 예술이 도달할 수 있는 최대, 최선, 최악의 아이러니를 선물하기 위해 지금 이 순간도 끈질기게 앞으로 나아가고 있다.

정찬은 변화를 거듭하는 세간의 풍조에도 물들지 않은 채 꾸준히 '예술과 신성의 만남'이라는 독자적인 추구를 계속하는 작가다. 그의 소설 세계를 언급할 때 결코 빼놓을 수 없는 것은 그가 누구보다 언어와 실존의 관계를 정밀하게 탐구해

온 작가라는 사실이다. "언어는 존재의 집"이라는 마르틴 하이데거의 유명한 경구가 그의 소설만큼 잘 들어맞는 경우도 드물 것이다. 다만 정찬의 경우에는 '집'을 '사원'이라는 단어로 바꾸면 더욱 적절할 듯싶다. 정찬의 소설은 언어는 단순한 거처가 아니라 눈물과 피 그리고 진땀을 꾹꾹 눌러 적는 기도이자 신을 찾아 나서는 구도의 매개체로 보인다. 그리고 그 안에서 작가는 글쓰기 행위를 통해 산 자와 죽은 자의 영혼을 건져내 신에게 바치기 위해 올리는 의식(儀式)을 집전하는 사제의 모습으로 존재한다. 그의 소설집에 담긴 일곱 편의 단편소설들은 비통함으로 가득 찬 어둠의 심연에서 한 줌의 빛을 얻기 위해 지리하고도 끈덕지게 나아가는 극진한 몸짓 자체이다. 그리고 한 편의 소설을 마무리할 때마다 그는 어떻게든 그 한 오라기의 빛, 즉 구원의 가능성을 잡아내기 위해 진력을 다하는 것처럼 보인다.

그의 소설들을 읽다 보면 독자는 기이한 체험을 맞이하게 된다. 그의 소설에 등장하는 인물들은 한결같이 더 이상 이승에 미련을 두고 싶지 않을 정도로 힘겨운 순간을 겪는다. 그러나 이들은 인간으로서 버티기 힘든 비참한 상황 속에서도 그러한 고통을 한순간이라도 더 연장하고자 하는 모순된 욕망을 드러낸다. 이러한 간절한 희구는 그의 소설 속에서 삶의 근거를 송두리째 뽑아내는 상실의 경험에도 불구하고 온몸에 흠뻑 땀과 흙먼지를 뒤집어쓴 채 기어서라도 살아가려 애쓰는 인간의 모습으로 형상화된다. 이 인물들이 죽음과 같은 어둠 속에서 삶의 빛으로 이끌리는 결정적인 순간은 그의 소설 속에서 결코 요란하게 강조되지 않지만 신의 부활에 맞먹는 기적으로서 조용히, 그러나 깊숙한 감동을 불러일으키며 텍스트와 독자의 가슴속에 각인되어간다. 그러니까 일곱 편의 소설을 읽고 나면 독자는 그 강렬한 체험을 일곱 차례 이상 겪게 되는 셈이다. 이 영혼을 뒤흔드는 예배를 드리고 난 이후에 우리는 그 이전의 상태로 결코 돌아갈 수 없다. 정찬의 소설은 그런 점에서 차라리 이야기를 통해 죽음과 재생이라는 유사 체험을 겪게끔 하는, 언어로 이루어진 종교적 의식에 접근하는 것으로 해석된다.

이러한 종교적 체험에 함께하는 신자들은 삶과 죽음을 주관하는 절대 존재인 신에 가까워지는 순간을 맞이하곤 한다. 정찬의 소설이 종교적 의식과 결정적으로 다른 점은 신에게 근접하기 위한 수단이 온전히 '언어'로 이루어진다는 사실, 또 하나는 그 언어가 엮여 만들어낸 이야기들이 강렬하게 이끌리는 소실점은 기실 종교적인 지향점과는 거리가 있다는 데 있다. 그의 소설을 강력하게 밀고 나가는 원동력은, 평소 예술에 대해 의심스런 태도를 가져온 이들에게는 의외라고 할 정도로, 지극한 '아름다움'을 향해 한결같이 나아가고 있기 때문이다. 그의 소설은 경건한 태도로, 흔들림 없이 '아름다움'을 향유하는 그 순간을 향해 촉수를 뻗어간다.

그런 면에서 정찬의 소설 세계를 가장 잘 드러내는 이미지
는 구도의 순례를 다룬 소설들 가운데 한 정점을 이루는 소
설, 「카일라스를 찾아서」에 등장하는 인상적인 오체투지 장
면이라고 할 수 있다. 몸의 다섯 부분을 땅에 닿게 함으로써
가장 낮은 자세를 유지시킨 채 천천히 기어서 나아가는 수행
방법인 오체투지야말로 신성한 존재를 만나고자 하는 인간
의 오래된 욕망을 표현하는 방법이 아니겠는가. 땅과 거의 일
체가 될 정도로 낮은 자세로 몸부림침으로써 초월 세계에 근
접할 수 있다고 상상하는 것은 얼마나 지독한 역설인가. 정찬
소설은 인간이 겪는 세계의 비참과 고통을 정점 깊숙이, 냉정
할 정도로 끈질기게 파헤치면서 동시에 이를 언어로 육화하
는 과정을 통해 지고의 아름다움과 신성함의 경지로 끌어올
리려는 노력의 소산이다. 순례에 참례하듯, 이 과정을 고통스
럽게 따라가는 독자들의 인내는 지상에 아주 잠깐 깃들어, 섬
광처럼 명멸하는 신성을 목격하는 것으로 보답받는다. 이 빛
을 붙잡을 때까지 우리는 온몸을 흙먼지 속에 쓰러뜨리고 뒹
굴거나, 혹은 불길에 소진되어 육탈될 때까지 참고 견뎌야 한
다. 비록 상상 세계 속에서 일어나는 일이라지만, 이런 소설
을 읽고, 쓴다는 것은 얼마나 많은 희생을 요구하는가. 두렵
고도 기쁜 것은, 소설을 통해서나마 우리가 자신을 가두고 있
는 한계를 벗어나 신에 근접한 경계 너머의 세계를 잠깐 만날
수 있다는 사실이다. 걱정할 것은 없다. 때가 되면 예술과 만

난 신성은 종교는 물론 프로이트의 논문에서 언급된 바 있는 고통 너머에 있는 열반nirvana의 경지로 인간을 끌어올려줄 것이기 때문이다.

사회적 애도 의식으로서의 소설

일찍이 5·18 등 현대사의 질곡을 정면으로 응시하던 작가는 최근 소설에서 시선을 용산 참사, 세월호 사건 등 아직 진상이 규명되지 않은 현재진행형의 사건으로 돌리고 있다. 그의 소설집은 그야말로 비통한 자들을 위한 비망록이라고 할 만큼, 시대의 질곡 아래 벌어진 개인들의 억울한 죽음을 망각으로부터 구제하기 위한 성실한 기록들로 빼곡하게 들어차 있다. 과거의 씨월드 참사에서부터 비교적 최근의 사건인 용산과 세월호까지, 그의 시선은 이 시대가 겪고 있는 가장 참담한 아픔이 자리하는 곳이면 어김없이 찾아간다. 그리고 원통하게 죽어간 망자와 죽음보다 못한 삶을 견뎌내야 하는 생존자들과 유족의 상황을 언어로 재현하기 위해 혼신의 노력을 기울인다. 정찬의 소설을 읽다 보면 울음소리가 하늘에 닿는 곳이면 어김없이 찾아가 씻김굿판을 벌이는 샤먼의 영혼이 빙의된 것이 아닌가, 의문을 품지 않을 수 없다. 그 가운데서도 그의 소설은 죽은 이들의 원혼을 위로하는 일 못지않게,

아니, 그보다는 오히려 사랑하는 이들을 보내고 나서 이승에 남아 있는 생존자들의 모습에 더 초점을 맞추는 것처럼 보인다. 소설 속에 재현된 산 자들의 비참한 모습은 존재의 근거를 말소하는 치명적 상실을 애도하기 위해 다양하게 고투를 벌이는 모습으로 형상화된다.

정찬의 소설 속에서는 대개 세상에 대해 큰 악의를 품은 일이 없는, 도리어 누구보다 순수하고 여린 마음의 소유자로 짐작되는 사람들이 희생자가 된다. 문제는 우리가 사는 현실도 소설 속에 그려지는 것과 크게 다르지 않다는 사실이다. 소설에서 이러한 비참을 불러온 원인으로 지목되는 것은 대개 국가적 규모로, 혹은 국가에 의해 직접적으로 저질러진 폭력적 사건들이다. 이러한 비극은 5·18 광주민주화운동 당시 민간인 학살이나 용산 참사, 세월호 참사처럼 국가가 일차적 범죄자로 지목되는 경우도 있지만 가해자가 직접적으로 드러나지 않는 사고나 재해의 모습으로 닥치기도 한다. 이번 소설집에 실린 이야기들은, 정치권력과 자본의 탐욕 같은 가해자를 적시하고 그들의 죄악을 낱낱이 파헤치는 데 집중하기보다, 실존적인 차원에서 인간이 마주할 수밖에 없는 고통, 상실의 아픔, 애도의 과정에 초점을 맞추고 있다는 점에서 이전의 작품 세계와 선명하게 선을 긋고 있다. 최근 발표작에서 작가는 무참한 폭력 때문에 죽은 사람들의 존재가 사람들의 기억에서 잊히지 않도록 기록하고, 살아남은 사람들의 아픔을 헤아리며, 이 과정에서 벌어지는 인간들의 고뇌 어린 드라마를 되도록 선명하게 재현하는 데 더더욱 관심을 기울이는 것으로 보인다.

여전히 가해자의 책임을 가리기 위한 투쟁과 생존자의 상처를 위무하기 위한 노력이 현재 진행되고 있는 사건들을 직접 소설이나 영화의 소재로 다루는 일은 과연 온당한가. 만일 가능하다면 우리는 사건으로부터, 그리고 직접 고통을 겪는 당사자로부터 얼마만큼의 거리를 유지하며 이를 다루어야 할까. 이러한 질문은 '재현의 윤리'라는 거창한 제목 아래에서 많은 창작자와 독자를 괴롭혀오곤 했다. 더구나 소재가 되는 사건이 정치·사회적으로 막대한 의미를 지닌 경우, 그들이 떠맡아야 할 부담감은 곱절이 될 수밖에 없다. 사람들은 서로 경계심과 두려움을 늦추지 않고 다른 사람의 작업을 지켜볼 수밖에 없다. 그런 면에서 정찬이 오랜 세월 동안 사회적으로 가장 민감한 통점을 찾아 꾸준히 이를 소설화하고 있다는 것을 어떻게 해석해야 할까. 아마도 그는 매우 '용감한' 작가임에 틀림없으리라. 그러나 그에 앞서서 나는 그를 가장 '성실한' 작가라고 부르고 싶다. 나는 그가 자신도 어찌할 수 없는 불가항력에 이끌려, 그렇게 '쓸 수밖에 없기' 때문에 쓴다는 심증을 갖고 있다. 그는 소설가로서 가장 가슴 아프고 절실한 것에 대해 '쓸 수밖에 없기' 때문에 쓸 따름이며, 이로 인해 받게 될 부끄러움, 실패, 상실까지도 모두 자기 자신과 소설에 닥쳐올 운명으로 온전히 받아들일 각오를 하면서 쓰는 작가가 아닐까. 만일 그렇다면 그의 소설은 고통에 대한 '재현'임과 동시에 소설가로서 이를 외면할 수 없다는 이유 하나만으로 '불가능한' 재현에 뛰어드는 수행performance으로서의 의미도 갖게 되는 것이 아닐까. 그럴 경우 그의 글쓰기는 재현인 동시에 현전presence 자체로서 존재하는, 일종의 의식의 역할도 감당하는 것으로 해석되어야 할 것이다.

　이러한 주장을 뒷받침이라도 하듯, 정찬의 소설에는 소설가 자신의 분신인 듯한 예술가나 분석가 들이 화자로 출현해, 자신이 목격한 또 다른 예술가의 작업에 대해 증언하는 장면이 자주 등장한다. 이들은 자신이 만난 다른 작가의 모습과 그의 고통스런 재현 작업에 대해 기술하는 과정에서 힘에 부친 나머지 또 다른 증언자를 찾아 나서고, 그에 의지해 또 다른 목격자를 찾고…… 이런 과정으로 힘겹게 서술을 이어나간다. 이번 소설집에 실린 「새의 시선」「사라지는 것들」「플라톤의 동굴」 같은 작품들이 이런 서술 기법을 취한 대표적 작품이라고 할 수 있다. 이 소설들 속에서 중요하게 다루어지는 사건은 이야기의 시발점이 되는 비극적 재난이나 상실 외에도 이를 목격한 사람이 자신이 보고 겪은 것을 글, 그림, 사진, 영화 같은 매체에 담기 위해 사력을 다하는 작가들의 '재현' 행위 자체이다. 이들의 모습은 사회 공동체가 함께 겪은 참혹한 사건을 소설로 쓰기 위해 노력하다가 불가능성에 부덫혀 고뇌하는 작가 자신의 글쓰기에 대한 고백이라고 할 수 있다. 이는 작가에게 있어 소설 쓰기는 현실의 불가능성에 굴복하지 않고 기억되어야 하는 진실을 향해 되풀이해서 나아가려는 몸짓 자체일 뿐이라는 소설론을 대변하는 것일 수도 있다. 이러한 자기 반영적인 메타소설적 기법 외에도 작가는 정념과 윤리의 한계선상에서 작업하는 위태로운 작업을 '지속가능한' 것으로 만들기 위해 다양한 소설적 기법을 활용하고 있다. 그가 소설가로서 장인 정신을 가지고 오랜 세월 동안 지속해온 이러한 작업은 사회 공동체가 함께 겪은 상실을 기억하고 애도하는 의식으로서, 오늘날 소설이 감당할 수 있는 역할에 대해 상기시켜주는 바가 크다고 할 수 있다.

날개 없는 이들의 비상

정찬의 소설들은 한결같이 사랑하는 이의 죽음을 겪은 사람들의 삶 속으로 바짝 다가서서 그들이 겪는 아픔을 자신의 것처럼 공감하는 과정에서 부딪히는 지난한 노력을 그린다. 그래서 그의 소설에 유독 자주 등장하는 모티프가 '빙의(憑依)'다. 타인의 고통을 헤아리는 일이 불가능하다면 차라리 그의 영혼을 받아들여 타인으로 바뀌어버리면 되지 않을까? 소설 속에서 이러한 빙의에 가장 가깝게 도달하는 사람은 배역 속으로 몰입하는 일에 익숙한 메소드 연기의 달인들, 즉 이들은 배우라는 특수한 직업에 종사하는 사람들이다.

「양의 냄새」는 영화 「브로크백 마운틴」의 순수한 청년 에니스와 「다크 나이트」의 악인 조커라는 상반된 인물에 동시에 빙의되어 갈등을 겪는 영화배우 히스 레저의 모습을 따라간다. 그의 영혼에 깃든 에니스는 진실한 사랑의 깊이를 깨닫게 해주고 악령에 물들어가는 히스 레저의 목숨을 끊게 만든다. 「플라톤의 동굴」은 마치 정찬 자신의 예술론을 축약해놓은 것처럼 정교하게 짜인 공예품과 같은 텍스트다. 이 소설은 액자가 중첩되어 들어찬 것처럼 서로 맞물려 돌아가는 이야기들의 층들로 이루어져 있다. 이 이야기들은 동심원처럼 한 이야기가 다른 이야기로, 그리고 또 다른 이야기로 파장을 그리면서 주제를 확장, 심화시켜가는 구조로 구성되어 있다. 소설이 시작되면 자신을 희곡 작가라고 소개하는 '나'가 등장하고 자신의 연극에 출연했던 친구인 배우 K를 소개하는 문장으로 이어진다. 그는 친구인 K가 자신의 첫번째 연극에 출연했다가 등장인물에게 빙의되어 결국 자살에 이르렀다고 고백하고 난 후, 그의 행적을 기리기 위해 쓴 또 다른 연극에 대해 소개한다. 자신의 첫번째 연극의 모델이 되었던 졸라의 작품, 화가 세잔과 얽힌 졸라의 생애, 자신의 첫번째 연극의 내용, 그리고 배우 K의 삶, 배우 K를 주인공으로 등장시킨 세번째 연극의 줄거리, 그리고 이 모든 것을 회상하는 '나'의 행적들로 구성되어 있는 이 복잡한 소설은 결국 '나' 역시 연극이 끝난 후 배우 K에 빙의된 채 그와 관계된 추억의 장소에 방문하는 모습으로 끝을 맺고 있다.

한편 구체적으로 배우라는 직업이 등장하지 않아도 과거에 일어났던 비극적인 사건을 재현하는 다큐멘터리 영화에 등장하는 인물의 모습을 묘사하는 장면에서도 역시 빙의 모티프는 반복되고 있다. "박민우가 빙의된 듯이 보이는, 바다를 등지고 서서 기억을 추궁당하는 남자는 마지막 증언자다"(pp. 54~55).「새의 시선」에서 화자로 등장하는 정신과 전문의는 자신의 환자 박민우와 그에게 빙의되었으리라 추정되는 영화 속 인물, 그리고 이 영화의 소재가 된 1986년 분신 사건의 주인공인 김세진 등의 인물들을 회상하는 가운데 자기 역시 자의식의 경계가 모호해지는 체험을 겪는다. "머리가 텁수룩한 청년이 복도를 걸어가고 있다. 청년은 나이기도 하고 내가 아니기도 하다. 청년과 나 사이에 시간이라는 심연이 가로놓여 있다. 그 심연을 들여다보면 아득하다. 간혹 심연이 흔들려 나와 청년의 경계가 무너지기도 한다"(pp. 55~56).

정찬의 소설 속에 되풀이해 등장하는 빙의의 모티프는 재현의 불가능성을 극복하기 위해 투쟁을 벌이는 글쓰기 행위가 소설 내부의 소재로 전환된 것으로 보인다. 정찬의 소설은 액자 소설 기법, 인물들을 통한 투사, 글쓰기 행위와 소설 속 행위의 알레고리 등 이중, 삼중의 기법을 겹쳐서 만든 정교한 장치라고 할 수 있다. 이는 타인의 고통과 슬픔에 대해 발설하는 일이 결코 쉽지 않다는 것, 미학적 장치를 여러 겹 씌우고 통과해야만 접근할 수 있는 예민하고도 성가신 과정임을 증명하고 있다. 진실을 쉽게 발설하지 않는 태도, 침묵의 윤리, 이는 소설의 언어로 옮겨질 때 고난이도의 기교를 필수적으로 통과해야 함을 뜻한다. 고통의 계곡을 통과한 끝에 얻어내는 빛의 소중함은, 허구의 산물인 소설 안에서도 예술의 렌즈를 거쳐 한 차례 이상 굴절되어야만 얻어지는 지난한 노력의 산물인 것이다.

따라서 정찬의 소설은 빙의가 상징하는 일차적인 동일시의 미학에서 머물지 않는다. 이는 스스로의 손으로 자신을 죽이는 참혹한 결과를 낳을 뿐이다. 자기 파괴적인 멜랑콜리아 상태를 벗어나기 위해 우리는 또다시 지루하고 긴 애도 과정을 겪어야만 한다. 상실의 슬픔으로부터 서서히 분리된 이후, 우리에게 남겨진 것은 각자의 삶을 홀로 살아가야 한다는 지상 과제 같은 것이 아니겠는가. 소설 속에서 이러한 애도의 완성은 하늘을 향해 자유롭게 날아가는 혼의 비상으로 표현된다. 정찬의 소설에서 항상 정점에 놓여 있는 이미지, '새'가 표상하는 것이 바로 이러한 지극한 애도의 순간이다.

"김세진이 새가 되었다고 생각하세요?"

"희망이죠."

"아름다운 희망이군요."

"무서운 희망이기도 하지요."

"왜요?"

"불길을 견뎌야 하니까요." (「새의 시선」, p. 58)

그가 마지막으로 그린 그림은 새였다. 새는 하늘처럼 보이기도 하고 바다처럼 보이기도 하는 푸른 공간을 날고 있었는데, 싱싱한 생명의 에너지를 품은 날개가 눈부셨다. (「사라지는 것들」, p. 105)

사제복을 입은 탐미주의자

정찬 소설이 마음을 흔드는 이유는, 우리 시대가 앓고 있는 아픔의 한가운데로 뛰어들었다는 차원에 머물지 않는다. 그의 소설을 읽다 보면 소설 미학의 한 정점이 드디어 극에 달했다는 사실을 깨닫는 데서 오는, 일종의 외경을 느끼게 된다. 정찬이 아름다움을 그려내는 순간은 매우 시적이면서 동시에 회화적이다. 그의 소설들은 감정이 극한에 치닫는 지점을 정확하게 시각적인 이미지로 치환해내는 지점에서 타의 추종을 불허할 정도로 화려한 기교를 토해낸다. 슬픔의 극단을 흰 운동화 한 켤레와 푸른 하늘을 나는 새 한 마리로 치환

하는가 하면 세상의 비참과 고통의 극한을 활활 타오르는 불
길로 바꿔내는 장면들은 묘사의 탁월함을 넘어서서 차라리
촉각적일 정도로 독자에게 생생한 감각을 불러일으킨다. 그
러나 소설이 현실에서 실재하는 고통을 이 정도로 '현실감
있게' 옮겨도 좋은 것일까? 이러한 의문은 앞에서도 잠시 이
야기했던 침묵의 윤리와도 통하는 바가 있다. 이는 독자에게
도 마찬가지로 적용되는 기준이다. 과연 소설에 등장하는 인
물들이 겪는 고통이 나 자신의 것, 적어도 나와 가까운 이가
겪는 것일 때 나는 과연 이를 두고 '아름답다'고 말할 자격이
있는가. 소설에서 목격한 아름다움을 이렇듯 한 발짝 떨어져
서 감상하는 위치에서 발화하는 일이 윤리적인가, 이는 가
족을 잃은 자의 슬픔에 공감한다면 이를 재현한 예술 작품을
두고 미학을 운위할 수 있겠는가, 하는 심도 깊은 문제로 이
어진다.

결론부터 이야기하면, 그럴 수밖에 없어서, 그걸 감수해야
하는 순간이 있기 때문에 나는 처참할 정도로 미안함을 느낀
다는 말을 감히 입에 올려야겠다. 현실 자체 또는 논픽션의
감상자가 아닌, '소설'의 독자인 나는, 참혹한 현실을 통과한
이후, 이를 지고한 아름다움으로 승화시키기 위해 도달하기
위해 애쓰고, 우회하고, 실패를 거듭한 이의 시도 앞에서 절
로 우러나오는 탄식을 금할 수 없을 것이다. 그렇다. 정찬의
소설은 우리가 타인의 고통에 아무리 공감하더라도 그것을

온전히 내 것과 동일시할 수 없는 그 지점에서 출발한다. 정찬 소설의 불가사의함은 그 '불가능성'을 바로 글쓰기의 '가능성'으로 전화(轉化)시켜버린다는 데 있다. 이는 언어로 표현할 수 없는 고통의 현장을 언어로 표현할 수밖에 없는 소설가의 무능력, 부조리함, 한계를 새겨 넣는 '글쓰기의 불가능성'을 글쓰기의 몸 안에 고스란히 끌어안아 함께 죽음의 단계까지 내려갈 때만 가능한 작업이다. 타인의 슬픔을 목격하고 이를 자신의 실패와 죽음으로 동일시하는 경지까지 내려가면 그러한 글쓰기는 차라리 신성한 의식, 즉 예배라고 해도 좋을 것이다. 작가는 어쩌면 자신의 글쓰기를 예배와 같은 정화 의식으로 만듦으로써 소설을 통해 현실의 비참을 애도의 '실천'으로 승화시키려 하고 있는지도 모른다. 그런 점에서 정찬은 작가를 사제로, 글쓰기를 의식으로, 그리고 독자의 읽기를 이러한 애도 의식에 동참하는 사회적 예배로 만들고자 하는 꿈을 꾸었던 것인지도 모른다. 그런 면에서 그의 소설을 언어로 만들어진 사원에 빗댄 것은 정확한 메타포일 것이다. 슬픔과 상실이 가시지 않고 산 사람들을 계속 '생존자' 혹은 '유족'들로 만들어버리는 이 불우한 시대에 사람들은 소설에게서 이러한 사회적 의식의 역할을 기대하고 있는 것이 아닐까. 어둠으로 가득한 혼탁한 영혼들을 정결케 하는 이야기들을.

가령 다음과 같은 장면은 얼마나 고통스러우며 동시에 또 얼마나 아름다운가. 이는 참척의 아픔을 예술품으로 승화시킨 피에타상의 아름다움이나 고통과 빈곤으로 점철된 생을 밤하늘의 별빛으로 전화시켜낸 고흐의 기예에 도전하는 장면임을 감히 증언하지 않을 수 없다. 그리고 이렇게 또 하나의 불가능성 앞에서 가슴팍을 쥐어뜯으며 고백하게 된다. 타인의 고통에서 아름다움을 보는 나의 두 눈에 대해 용서를 빌고, 또 참회한다고. 그러나 이러한 이야기가 있고 곡진한 미학이 있기에 생존한 이들은 가까스로 이를 붙잡고 살아낼 수 있다고 말이다.

그 모습이 슬펐다. 운명을 알 수 없고, 죽음을 피할 수 없는 유한한 존재가 운명과 죽음을 내려다보고 있는 높은 존재를 향해 더 이상 낮아질 수 없는 자세로 간구하는 몰아의 모습이 불러일으키는 슬픔이었다. 슬픔 속에서 무언가가 떠오르고 있었다. 어둠에 잠긴 기도실이었다. 성체식에 쓰이는 희미한 램프가 기도실을 간신히 밝혔다. 기도실 모퉁이에 있는 피에타상 아래에 누군가가 울고 있었다. 아내였다. 아내는 못에 뚫린 손바닥을 편 채 한 팔을 축 늘어뜨린 예수의 발치에 태아처럼 몸을 웅크리고 울고 있었다. 땅에서 일어서는 하영우의 모습이 흐려진 시야 속에서 어렴풋이 보였다.

"절하시는 모습이 무척 아름답네요."

나는 진심으로 말했다. (「카일라스를 찾아서」, pp. 196~97)

고통의 심연에서 비로소 투명한 아름다움을 발견할 수 있다는 것은 지독한 역설일 것이다. 그러나 정찬의 소설 속에서 이러한 아름다움은 겹겹이 싸인 죽음의 골짜기를 건너야만 도달할 수 있는 궁극의 경지에서만 목격된다. 차라리, 정찬의 소설을 읽는 것은 상실을 애도하기 위해 반복되는 의식에 참여하는 것에 가깝다고 할 수 있다. 이 과정에서 작가는 이러한 의식을 수행하고 집전하는 애도의 사제 역할을 맡게 된다. 이러한 경지에 대해 작가는 화가 세잔의 입을 빌려 다음과 같이 말한다. "나는 본다네. 색채가 세계를 무너뜨리는 광경을 말일세. 새로운 세계는 그 폐허에서 창조되네. 이데아로 이루어진 새로운 세계의 시간이 말일세. 거기엔 색채의 광휘와, 그것을 생각하는 존재와, 태양을 향해 솟아오른 땅덩어리와, 깊은 곳에서 넘쳐흐르는 사랑이 있네. 죽음의 심연을 견딘 예술가만이 짧은 그 순간을 포착할 수 있다네. 궁극의 꽃을 품고 있는 그 순간을 말일세"(「플라톤의 동굴」, pp. 231~32).

한 가지 짚고 넘어가야 할 점은 고통을 미학으로 승화해내는 복잡한 소설적 장치가 「새들의 길」「등불」에서는 비교적 간단하게 활용되고 있다는 점이다. 그러나 이 사실은 오히려 작가가 충분한 애도를 거친 후 예술이라는 대체물을 찾아낸다는 주장을 뒷받침하는 증거가 되기도 한다. 아직 진상 규명에 이르지 못했을 뿐 아니라 유해도 모두 수습되지 못한 채 유족이 투쟁을 계속하는 한, 세월호 참사는 아직 작가의 마음속에서 '아름다움'보다는 고통과 상실감의 현존 자체로 잔존해 있는 것이 아닌가. 작가에게 글쓰기의 윤리가 있다면 독자에게는 독서의 윤리가 있는 법, 그래서 사려 깊은 독자들은 성마른 애도보다는 현실의 고통을 주어진 그대로 받아내는 우울증적 상태에 더 큰 공감을 갖게 된다. 나는 이 두 소설을 읽으며, 작가 정찬이 여전히 뜨거운 불에 타고 있고, 노트북 역시 시뻘겋게 달궈져 있으며, 흰 바탕에 씌어진 검은 글씨 하나하나가 획을 뒤틀며 불꽃 속에서 괴로운 비명을 지르고 있다고 상상에 빠진다. 소설 속에서 참척의 아픔은 아직 어떤 대체물을 거치지 못한 채, 날것의 리얼리티로 직접 사무쳐 들어온다. 때문에 이 소설들은 다른 어떤 단편들보다 더 직접적이고 절절한 감동을 전달한다. 그런 점에서 세월호 참사를 소재로 삼은 두 소설들은 애도의 불가능성을 표현하는 리얼리즘의 또 다른 표현이라고 할 수 있다.

정찬의 소설이 갖는 미덕은 바로 이런 지점이다. 그는 충분히 '아름다움'을 그려내지 못할 때도 글쓰기를 멈추지 않는다. 그는 인간성과 신성을 구성하는 두 축인 '윤리'와 '아름다움'을 동시에 품고, 깊은 예술혼과 탐색의 열정으로 이들을 혼융시킨다. 그러다 보면 윤리와 미학의 불가능성에 동시에 마주치는 순간이 있다. 정찬의 소설은 어느 한쪽도 포기하지 않고, 삶의 진실과 예술의 아름다움을 함께 성취하고자 하는 노력의 소산이다. 그의 소설은 실패가 예정되어 있는 과업을 달성하기 위해 한계 지점 주변을 끊임없이 더듬는다. 그리고 이러한 모습을 통해 인간이 무한히 신성을 향해 나아가는 존재임을 보여준다. 인생이라는 사막을 건너가는 이들에게, 참혹한 현실을 꾸준히 아름다움으로 바꿔내는 이야기들은 얼마나 큰 위로가 되는가. 정찬의 소설은 너무 슬프고 고통스러워 더 이상 아무것도 할 수 없을 때에는, 그 무력함에 대해 쓸 수 있다고 이야기한다. 오늘도 나는 비통한 이들을 돕기 위해 씌어진 몇 편의 문학, 사제들이 여는 예배, 거리의 시위 등이 있다는 소식을 들었다.

『새의 시선』은 저의 여덟번째 소설집입니다. 수록된 일곱편의 소설은 2014년 늦은 봄부터 2017년 여름 사이에 씌어졌습니다. 소설 작업이 힘겨워진 것은 언젠가부터 쓰는 행위가 넋을 견디는 행위가 된 듯한 느낌이 들면서였습니다. 만장이 펄럭이는 세계 속에서 넋을 피할 도리가 없었습니다. 넋은 사람의 눈으로는 볼 수 없습니다. 보이지 않는 넋들에게 육신을 부여하는 것이 저의 소설 작업이었습니다. 넋에게 육신을 부여하려면 넋 속으로 파고들어야 합니다. 넋 속으로 파고들려면 우선 넋을 견뎌야 했습니다. 넋을 견디는 힘이 넋 속으로 파고드는 힘이었습니다. 제가 얼마만큼 견뎠는지 지금도 모르겠습니다.

2018년 봄
정찬

수록 작품 발표 지면

양의 냄새 『대산문화』 2015년 겨울호

새의 시선 『문학동네』 2017년 봄호

사라지는 것들 『노란꽃들이 숲의 상부에 피어나』 도요문학무크 8

새들의 길 『문학사상』 2014년 8월

등불 『창작과비평』 2015년 여름호

카일라스를 찾아서 『문학과사회』 2017년 여름호

플라톤의 동굴 『학산문학』 2014년 가을호